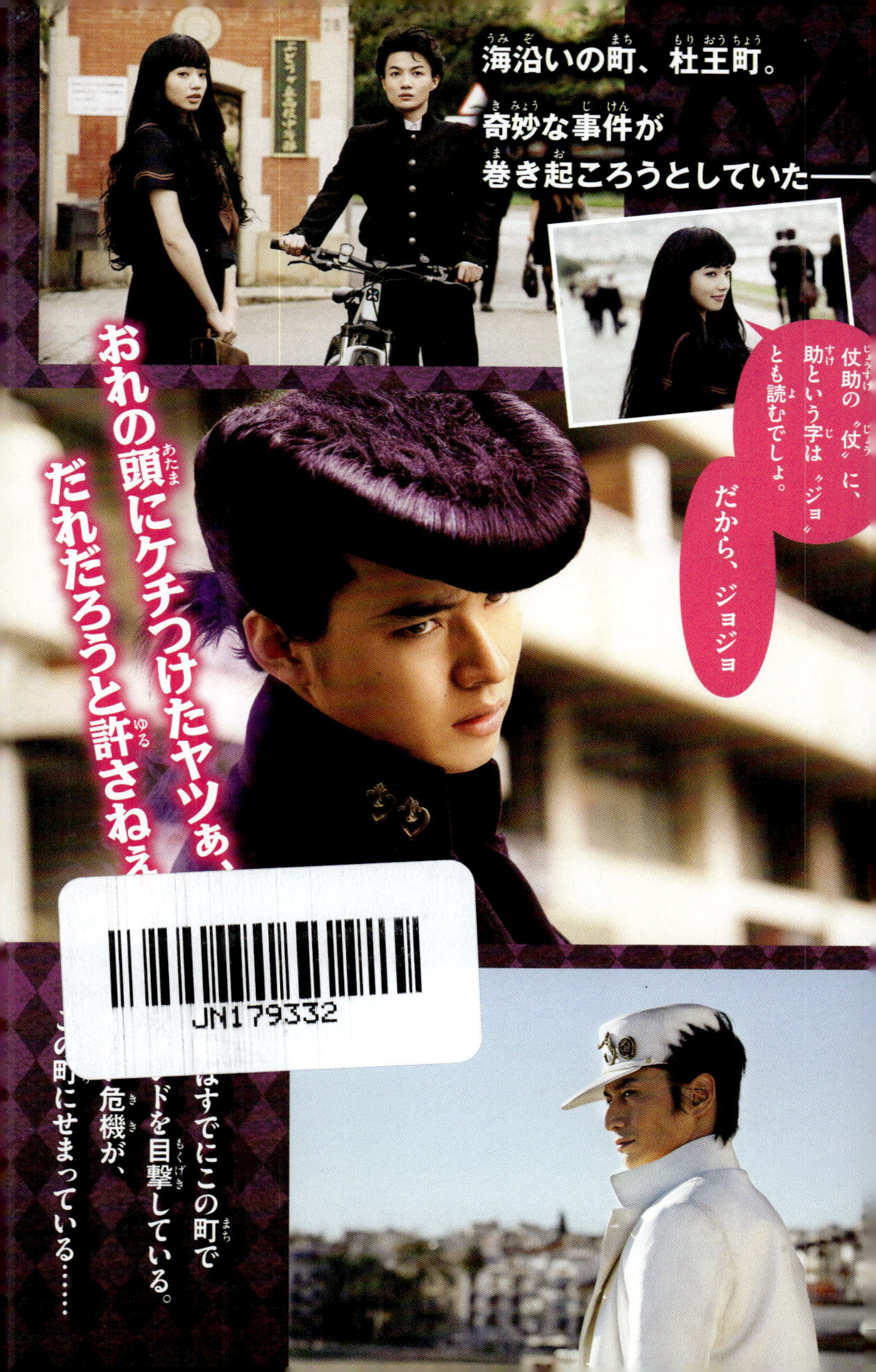

海沿いの町、杜王町。
奇妙な事件が
巻き起ころうとしていた――
仗助の"仗"に、
助という字は"ジョ"
とも読むでしょ。
だから、ジョジョ
おれの頭にケチつけたヤツぁ、
だれだろうと許さねえ
はすでにこの町で
ドを目撃している。
危機が、
この町にせまっている……
JN179332

この町に転校してきたばかりの広瀬康一は、信じられない光景を目にする——

よくも邪魔してくれたなあ。
いいさ、つぎはおまえだ。
おまえを破滅させてやる……

アンジェロのスタンド《アクア・ネックレス》が仗助たちを襲う——!!

最大のピンチに
仗助と承太郎は…!?
ドララララァーッ!!
仗助の《クレイジー・ダイヤモンド》が発動!!
おめえはおれと同じ
呪われた魂になるゼェッ!

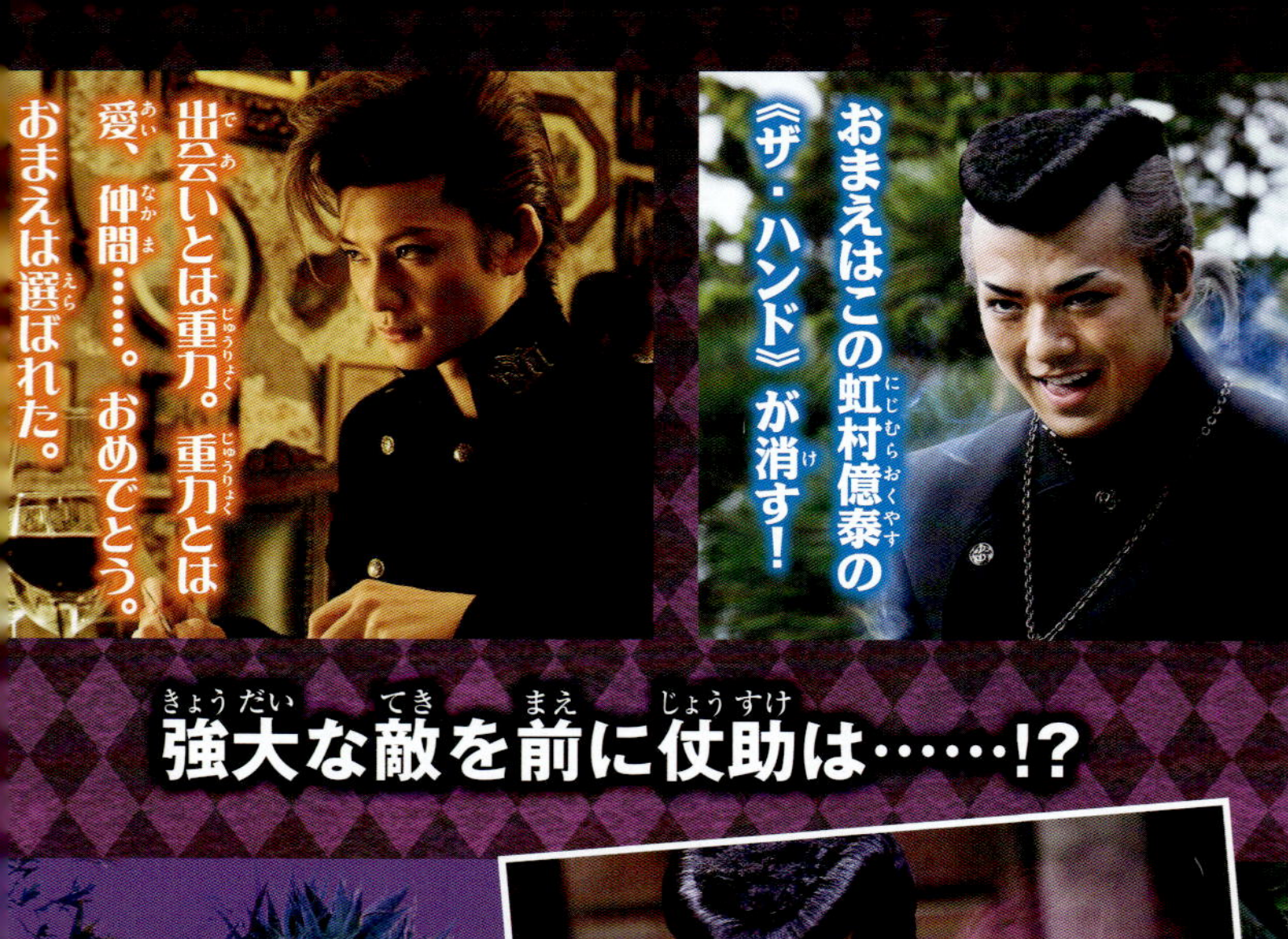
出会いとは重力。重力とは
愛、仲間……。おめでとう。
おまえは選ばれた。
おまえはこの虹村億泰の
《ザ・ハンド》が消す！
強大な敵を前に仗助は……!?

ジョジョの奇妙な冒険

ダイヤモンドは砕けない　第一章
映画ノベライズ　みらい文庫版

荒木飛呂彦・原作
はのまきみ・著
江良 至・脚本

集英社みらい文庫

目次

登場人物

東方家

東方良平〈國村隼〉
RYOHEI HIGASHIKATA

仗助の祖父。責任感の強い性格。警察官として三十五年間、杜王町の平和を守っている。

祖父

父娘

東方朋子〈観月ありさ〉
TOMOKO HIGASHIKATA

仗助の母。さっぱりした性格。大学時代にジョセフと出会ったが、その後別れている。

息子

東方仗助
JOSUKE HIGASHIKATA

〈山﨑賢人〉

この物語の主人公で、ぶどうヶ丘高校の二年生。ふだんは温厚だが、自慢の髪型をけなされるとキレる。四歳のときに死にかけ、スタンドの力がそなわった。

スタンド／クレイジー・ダイヤモンド

壊れたものをなおすことができる。ただし、死んでしまった命や自分の傷はなおせない。

叔父

甥

ジョースター家

ジョセフ・ジョースター
JOSEPH JOESTAR

仗助の父。かつて恋愛関係にあった朋子との間に、仗助という息子がいることを最近知る。そして、杜王町に危険が迫っていることも察知したジョセフは、孫である承太郎を杜王町へむかわせた。

スタンド／ハーミット・パープル

カメラ、テレビ、紙などを介して、自身が思い浮かべた対象の様子や、情景を念写することができる。

祖父

孫

空条承太郎
JOTARO KUJO

〈伊勢谷友介〉

年齢は上だが、仗助の甥。仗助に会うために杜王町をおとずれ、町をゆるがす事件を調べはじめる。

スタンド／スタープラチナ

精密なスピードとパワーを持つ、最強レベルのスタンド。時をとめる能力もある。

★スタンドとは？

生命エネルギーがつくりだす、パワーを持った像（ヴィジョン）。敵を攻撃したり、持ち主を守ったりする、守護霊のようなもの。生まれつきスタンドを持っている者と、あとから得る者がいる。自分の意思でスタンドを使うことができる者を「スタンド使い」と呼ぶ。

行方を追っている凶悪犯

ぶどうヶ丘高校

片桐安十郎 アンジェロ

〈山田孝之〉

ANGELO

逃亡中の凶悪な連続殺人犯。犯行の邪魔をした仗助を破滅させようと狙っている。

スタンド／アクア・ネックレス

水と同化でき、液体や水蒸気、湯気にまざって人の体内にはいりこむ。

山岸由花子

〈小松菜奈〉

YUKAKO YAMAGISHI

仗助の同級生。転校してきた康一の世話係になってから、なにかと世話を焼いている。

クラスメイト

世話係

広瀬康一

〈神木隆之介〉

KOICHI HIROSE

仗助の同級生。体は小さいが、友だち思いで勇敢。町で事件が多発していることを心配している。

クラスメイト

ある目的のため近づく

敵

敵

虹村形兆

〈岡田将生〉

KEICHO NIJIMURA

ある恐ろしい目的のために杜王町で暗躍する、冷酷無比な男。弟の億泰とはちがい、几帳面な性格。

スタンド／バッド・カンパニー

歩兵や戦車からなるミニチュア軍隊。個々の攻撃力は低いが、一斉攻撃でダメージを与える。

兄

弟

虹村億泰

〈新田真剣佑〉

OKUYASU NIJIMURA

形兆の弟。すぐにキレる性格で、深く物事を考えず、冷静な兄の足をいつもひっぱっている。

スタンド／ザ・ハンド

右手でつかんだものを空間ごとけずりとる。そのため、ものを瞬間移動させることが可能。

プロローグ

東方仗助と、空条承太郎。

この二人と出会ってから、ぼくのありきたりな人生は、すっかり変わってしまった。

ぼくは、広瀬康一。高校二年生。

三日前にこの杜王町にひっこしてきたばかりだ。

ベッドタウンとして、十年ほど前から急速な発展をとげてきたこの町は、山や海の自然にも恵まれ、由緒ある歴史的建造物も多い。

家々の庭はヨーロッパ風に広く、風景のどこを切りとっても、平和そのものだ。

去年の国勢調査の結果によると、町の人口は五万八七一三人。この地方では、二年連続で〝住んでみたい町〟のベストワンになっている。

だけど、三年連続は無理かもしれない。

実は、この杜王町には、殺人や失踪事件が多発しているんだ。そのうえ、警察署からは取り調べ中の犯人が脱走した。その犯人は、まだつかまっていない。

平和を愛するぼくには、とても気になる話だ……。


ともあれ、ぼくの新しい日々がはじまった。

どんな友だちと出会い、どんなできごとが待っているんだろう?

期待と不安でいっぱいだ。


そんなぼくの前にあらわれたのが、あの二人だったのだ——。

1 康一と仗助

「さて、そろそろ学校に行かなくちゃ」

学ランを着た康一は、通学カバンをヒョイッと背負った。

小柄でやせっぽちのせいか、背中のカバンがやけに大きく見える。

康一がぶどうヶ丘高校に転校して、今日で二日目。

杜王町にはひっこしてきたばかりで、まだ片づけも終わっていなかった。部屋のすみには、段ボール箱にはいったままの荷物が積んである。

リビングを出ようとした康一の耳に、テレビのニュース音声が飛びこんできた。

「――死亡した男性は内臓をひどく損傷しており、警察では、杜王町で連続して起きている変死事件との関連について調べています」

康一は思わずテレビに見入った。

数日前に、町内のとある公衆トイレで、変死事件が起きたらしい。

「早くしないと遅刻するわよ」

キッチンから聞こえる母の声にせかされ、康一は玄関を出て、自転車にまたがった。


自転車は軽快に走る。高校までは十数分の道のりだ。

途中にある交番には、いかつい顔をした初老の警官が立っていて、通りすぎる人たちにあいさつしている。

「おはよう」

「おはようございます！」

康一も元気よくあいさつをしながら通りすぎた。

交番を過ぎると、細い路地にはいる。両側に建物がならび、すこし暗い道だ。

しばらく進むととつぜん、学ラン姿の高校生が、学生カバンを突きだして行く手をさえぎる。

康一は思わず自転車をおりた。

「きみ、ぶどうの子？」

高校生は、いかにもヤンキーといったふうで、ジロリと康一をにらんだ。

「はい」

康一がこたえると、高校生がニヤリと笑う。

「ここを通りたいなら五千円な」

ふりむくと、もう一人の仲間が康一のうしろにいて、ドスのきいた声をあげた。

「もどるなら一万円な」

二人ははじめからお金を巻きあげるつもりで、康一をせまい路地に閉じこめたようだ。

「ええと……」

康一がオロオロしていると、不良は康一の自転車をガタンと引きたおした。

「あっ……！」

倒れた自転車を起こそうとする康一を見て、二人があざ笑う。

そのとき、不良たちの横を、一人の男が通りすぎた。


ひときわ目立つ長身。

いまどきめずらしく、ガッチリ固めたリーゼントヘア。毛のなでつけ方から立たせ方にいたるまで、相当のこだわりがあるようだ。

身にまとっているのは丈の長い学生服だが、左右のえりと胸元に、キラキラかがやく金属製の飾りがついている。右胸の飾りはピースマーク、左胸はハートマークだ。

異様なオーラを放つこの男は、東方仗助。

康一と同じクラスの、高校二年生だった。

不良の一人が、仗助の肩にわざとぶつかった。仗助は無視してそのまま通りすぎていく。

「オイ、待て！」

呼ばれた仗助がふりかえった。きょとんとしている。

「はい？」

「いま、ぶつかったよなぁ？」

不良たちはケンカ腰だが、仗助のほうはその気がない。

「あっ、すみません」

ペコッと素直に頭を下げ、そそくさと立ちさろうとした。仗助は、奇抜な見た目とはうらはらに、ふだんはとてもおだやかなのだ。

「おいおい、勝手に行ってんじゃあねぇよ、ブサイク頭。だれも許してねえぞッ！」

不良の片方がいちゃもんをつけると、もう片方がニヤつきながら続く。

「へっへ……。なんだよ、その変な頭は」

仗助の足がピタリ、ととまった。

やがて、ゆっくりと頭をまわして言う。

「……おい。いま、おれの頭のこと、なんつった……」

さっき素直にあやまっていた人間とは、まるで別人のような目つきだ。

仗助は、自慢の髪型をけなされるとキレる。手がつけられないほどキレるのだ。

「はあ？」

不良がそうこたえた直後、なにかが起きた。


バチーン‼


康一が気づいたときには、不良の一人が「ホゲエーッ！」と奇声をあげてうずくまっていた。両手で押さえた鼻のあたりは血まみれだ。

もう一人は、ズドッと体がはねあがって、康一と自転車に激突した。

自転車もろとも倒れてしまった康一は、ぼうぜんとしたまま動けなかった。

「なにもしていないのに、吹っとんだ……」

康一には、そう見えた。不良たちは、勝手にやられたように見えたのだ。

仗助が、鼻を折ってうずくまっていた不良を踏みつける。

「おれの頭にケチつけたヤツぁ、だれだろうと許さねぇ！」

あまりの迫力に不良たちがおじけづく。

「ごめん。悪かった。ごめんなさい……」

仗助が足をはなすと、不良はおそるおそる自分の顔を手でさわる。

不思議なことに、折れていたはずの鼻が、元通りになっていた。傷ひとつついていないし、血も出ていない。

「いったいどうなってるんだ……。うわあああああ——」

二人の不良は、あわててはねおきると、足をもつれさせながら逃げていった。

あたりがしんと静まり、仗助はなにくわぬ顔で歩きだす。

康一は、仗助からすっかり目がはなせなくなった。ボロボロになった自転車をあわてて起こす。

「東方くん？」

康一が声をかけると、仗助がふりかえる。

「東方仗助くんだよね」

「…………」

無言。

「ぼくほら、きのう転校してきた、広瀬康一」

康一は仗助をのぞきこんで、にっこり笑った。

すると、すこし間を置いて、

「そうだっけ？」

気の抜けた声が返ってきた。康一は、がっくり肩を落としてさびしげに笑う。

「……覚えてないんだ」

顔を覚えてもらっていないなんて、ショックだ。

おまけに、車輪の曲がった自転車は、押してもまったく動かない。ハンドルもぐにゃっと曲がってしまったし、ライトも割れている。

朝からついてないなぁと思い、康一は苦笑いした。

「はは……。自転車、こわれちゃった。でもさっきのはすごかったよね。動きが速すぎてさ、ぜんぜん見えなかったし……」

まさに目にもとまらぬ攻撃。不良たちは、あっという間にのされてしまった。

「そうか？」

と言って、仗助がちらりと自転車を見る。

「そうだよ。ん？」

ふいに、康一の押していた自転車の車輪がするっと動いた。

見ると、ガタガタにゆがんでいた車輪が、いつの間にか元の状態にもどっている。ハンドルも曲がっていない。割れていたライトも新品同様だ。

「えっ……ええっ⁉」

おどろいているのは康一だけ。仗助は、さっさと歩いていってしまった。

康一は、仗助の持つ不思議な力のことをまだ知らなかった。

壊れたものをなおす。

これが、東方仗助が四歳のころから使えるようになった力だった。

この力を発現するのは、仗助のそばにあらわれる、ヒトに似た形のな
にかだ。

このなにかには《スタンド》という名前があるのだが、それを仗助本人が知るのは、もうすこし先の話だ。

2 由花子との出会い

二年C組の教室は、今日も平和だった。

康一の席からは、窓際の席に座っている仗助の姿がよく見える。仗助はぼんやりと空をながめていた。

康一は、仗助が不良たちをぶっとばしたシーンを思いだした。心の中で「すごかったよなぁ……」とつぶやいたとき、ふいに山岸由花子に声をかけられた。

「康一くん。英語の復習は？　大丈夫？」

クラスメイトの由花子は、長い黒髪が印象的で、なぞめいた雰囲気の美少女だった。転校してきた康一の世話係に選ばれ、初日からなにかと世話を焼いてくれている。

「あっ、由花子さん。おはよう」

由花子は、康一に熱い視線をむけ分厚いノートを差しだす。びっしりと手描きのもようがつけられた表紙には『広瀬康一君用問題集』と書いてある。……どうやら手作りらしい。

「これ、私からの宿題。今日の分」

「由花子さんからの宿題？」

パラパラめくってみると、細かい字でぎっしりと問題が書かれていた。これが一日分だなんて、考えるだけでゾッとする。

「康一くんの成績が悪いと、私の責任になるの。そんなの、私のプライドが許さない」

「あ……ありがとう。がんばります……」

康一は、おずおずと返事をした。


その日の帰りも、由花子につかまってしまった。

自転車を押して歩く康一の横で、由花子は勉強をさせようと必死だ。

「いま言った単語わかる？　リピートしてみて」

「……えっ……ええと」

康一は、まったく集中できなかった。というのも、数メートル先を歩いている仗助が気になってしかたがなかったのだ。

仗助のまわりに、一年生の女子が三人、キャッキャとさわぎながら集まってきた。

「わぁーっ！　ジョジョ先輩だ。ラッキー！」

「いっしょに帰ろうよぉ、ジョジョせんぱーい！」

「ジョジョせんぱーい、今日の髪型もキマッてるしー、サイコーッ！」

女の子たちに髪型をほめられ、仗助はまんざらでもなさそうだ。

「お、おう」

自慢のリーゼントをなでて、すこし照れくさそうに歩く。

康一は、彼女たちが口にした、仗助の呼び名が気になった。

「……ジョジョ？」

そうつぶやくと、となりを歩く由花子が言う。

「仗助の〝仗〟に、〝助〟という字は〝ジョ〟とも読むでしょ。だから、ジョジョ」

「あー、なるほど」

うなずいて仗助のうしろ姿を見つめると、由花子がほほえんだ。

「康一くんも、東方くんのことが苦手なのね」

「えっ？」

いきなり決めつけられて、康一はとまどった。

「わかるの。康一くんはそういうタイプだもの」

「いや……そんなことは……」

「心配はいらないわ。いじめられたりしたら、すぐに私に言って。そのときは、私が守ってあげる」

「え？　あ、うん……」

康一にはわかっていた。仗助は、見た目はコワそうだが、弱い者いじめをするような男じゃない。

「じゃあね、康一くん。宿題はかならずやること」

「はい。また明日……」

きっとよかれと思ってしてくれているんだろうな、と思い、康一は苦笑いした。

3 事件のはじまり

二年C組の教室で、康一が由花子から問題集をわたされ、仗助が空をぼんやり見ていたころ――。

杜王町の商店街では、いかつい顔をした初老の警官が、自転車に乗って見まわりをしていた。

警官の名前は、東方良平。仗助のおじいさんだ。

体つきも顔つきもごっついけれど、笑うととびきりやさしい表情になる。そんな良平は、杜王町の人々にとって、信頼できる「町のおまわりさん」だった。

良平が道のむこうに目をむけると、見覚えのある二人の若者が女の子をナンパしていた。

ヨシザワとヒラタ。何年か前に補導して以来、心配で目をかけている二人だ。

ナンパに失敗したヨシザワは、腹いせとばかりに、空き缶をゴミ箱に放りなげた。缶は箱にはいらず、カランカランと道路に転がった。

良平は二人に近づき、自転車をおりる。

「こら、出したゴミは自分で始末しろ！」

やっかいなヤツに見つかっちまった、とヨシザワたちは思った。しかたがないので、しぶしぶ缶を拾ってゴミ箱にいれる。

なんだかんだと世話を焼いてくれる良平を、ヨシザワもヒラタも、ほかの警官より信頼していたのだ。

「はいはい。これでいいんだろ？」

「ヨシザワ。おまえまた仕事を辞めたそうだな」

「そんなの勝手だろ？　おまわりに関係あんのかよ」

ヨシザワが口ごたえすると、

「そうだ、うるせーって」

ヒラタも調子を合わせて文句を言う。

良平は、やれやれといった顔でヨシザワに近より、乱れていたえり元をきちんとなおしてやる。

「うるさく言うのが私の仕事だ。市民を守り、市民を正しい道に、ってな。なにかあったらいつでも電話しろ。二十四時間オーケーだ」

良平が笑いかけると、ヨシザワとヒラタは、きまりが悪くなってうつむいた。

「大丈夫だよ。もうめんどうはかけねーって」

そう言って、二人は近くの公園へ歩いていく。べつに公園に用事があるわけではなかった。ほかに行く場所もなかったのだ。

「まったくよぉ、昼間っからめんどくせーおまわりに会っちまったぜ」

「ほんとだよな」

と二人は、さわぎながら噴水池の横を通りすぎる。

ヨシザワはふと、池のそばにあるベンチに目をむけた。見かけない顔の男が座っていた。

帽子を深くかぶり、サングラスをかけている。

男は、ふざけて池の水をかけあっているヨシザワたちのほうを、いらだたしげに見ている。

そのとき、噴水池から一筋の水がチェーンのように飛びだし、ヒラタの顔におそいかかった。

「ウギャーッ!!」

悲鳴をあげたヒラタは、胸のあたりを両手で押さえて苦しみはじめた。ただ水を浴びただけなのに……この苦しみ方はどう考えても異常だ。

「おい、ヒラタ! なんだよ、どうしたんだよ!」

ヨシザワが近よると、ヒラタはグハッと血を吐いて倒れた。

つぎの瞬間、ヨシザワの口に、小さく透明で人形のようにも見えるなにかが、するっとはいっていく。

そのとたん、ヨシザワの表情がこわばり、まるでなにかに魂をのっとられたかのようにフラフラと歩きだした。

そのあと良平が公園へかけつけたころには、すでに現場鑑識がはじまっていた。良平は、見物に来た野次馬を押しとどめながら、ヒラタの遺体を見つめた。

ついさっき憎まれ口をたたいていた若者が、こんな姿になってしまうとは……。

もっと注意ぶかく見ていてやるべきだったと、良平は無念さに唇をかんだ。

そのころヨシザワは、コンビニにいた。フラフラとおぼつかない足取りで店内を歩き、無言で菓子を食いちらかす。

レジにいた若い女性店員が、おどろいて声をかけた。

「あの……お客さま？」

ヨシザワはとつぜん女性店員の腕をつかみ、首にナイフを突きつけた。おびえきった店員は、抵抗もできずに震えるばかりだ。

「金を出せ。はやくしろ」

ヨシザワの目は、ギタギタと異様な光を放っていた。良平に叱られて空き缶を拾っていたときとは、まったく別人のようだった。


いっぽう、康一は由花子と別れ、自転車を押して歩いているところだった。

コンビニの近くまで来ると、店から出てきた人々が、道で逃げまどっている。コンビニでなにかあったらしい。

「どうしたんだろう？」

康一が首をのばして人垣のむこうを見ようとしたとき、コンビニのドアが開いた。中から飛びでてきたのは、ナイフを持った男と女性店員だ。

男はヨシザワ。鋭いナイフを、人質にした店員の首に当ててさけぶ。

「近よるな！　こいつを刺すぞッ！」

店員は涙を流しながら「ひィィィ……」と悲鳴をあげた。輪をつくっていた野次馬たちがあとずさる。

びっくりした康一は、頭をひっこめて野次馬の中にかくれた。

仗助も、とりまきたちと別れ、ちょうどコンビニの前を歩いていた。

あいかわらずマイペースの仗助は、まわりが騒然とする中、すずしい顔でコンビニを通りすぎようとしていた。

そこへ鉢あわせしたのが、人質を引きずったヨシザワだった。異常な様子のヨシザワとむかいあってしまった仗助は、さすがに立ちどまり、ついついよけいなことを口走る。

「うわあ。コイツ、完全に目がいっちゃってるよ」

これではケンカを売っているようなものだ。ヨシザワがどなった。

「そこのガキ、どけッ！　目ざわりだッ！」

仗助はまったく動じない。

「あ、はい。行きます。行きます」

そうこたえ、きびすを返そうとしたとき、ヨシザワがさけんだ。

「ったく変な頭しやがってよ！」

その言葉に、仗助の耳が反応した。ギロリとヨシザワをにらむ。

「あぁ？」

仗助は、すごみのある声をあげ、それを見ていた康一は、サッと青ざめた。

「うわ、うそでしょ!?」

いくら仗助でも、ナイフを持った男が相手では危険すぎる――。

そんな心配をよそに、仗助は、ずんずんとヨシザワにせまった。ヨシザワは店員を盾にして立っている。

「……てめー、いまなんつった」

こたえないヨシザワにむかって、ガンを飛ばす。

「〝変な頭〟、そう言ったよなッ！」

「アッタマきた……この女にナイフぶちこむことに決めたぜ！」

つめよられたヨシザワが逆上する。ナイフを店員の背中につきつけた。

店員が刺されてしまう……‼

だれもが息をのんだその瞬間だった。

仗助の体から紫色のオーラがわきあがり、そのとなりに、ヒトに似た形のなにかがあらわれた。

仗助のスタンドだ。

そのなにかが見えているのは、仗助だけだ。

仗助がヨシザワに近づくと、スタンドもいっしょに近づいた。

そして――


ズボァッ‼

仗助以外には見えないスタンドが、盾にされた店員の腹に強烈なパンチを放った。

店員の腹に穴が空き、さらには、そのうしろにいるヨシザワの腹にまで穴が空く。

野次馬たちが「うわあ！」だとか「キャー！」といった悲鳴をあげた。

しかしつぎの瞬間、二人の腹に空いた穴は、あとかたもなく消えてしまった。

ヨシザワが持っていたナイフも消えている。

仗助のスタンドは、一瞬にして店員とヨシザワの腹に穴を空けた。そして、ナイフをうばい、一瞬にして二人の腹をなおしてしまったのだ。

ただし、スタンドを見ることができない人にとって、いま見たできごとはまるで手品か幻のようなものだ。さっき悲鳴をあげた野次馬たちはいっせいに静まった。みんな狐につままれたような顔をしている。


「え……えええっ!?」

ヨシザワもおどろいていた。

自分の腹をなでると、そこにはくっきりとナイフの形が浮かびあがっている。どうしたことか、ナイフはヨシザワの腹の中に埋まってしまったのだ。

仗助のスタンドは、ヨシザワからうばったナイフを腹の中に置いたまま、腹を修復したのだった。

「うあああっ、なんだこれはーっ!?」

「外科医に取りだしてもらうんだな。刑務所の病院で」

ヨシザワは「うぇぇぇぇ」と腹を押さえてうずくまり、意識を失った。

その直後、ヨシザワの口から、ふつうの人には見ることができないなにかが吐きだされた。


ボゴゴ……ボゴ……ズル……オオオ——

水を長く引きのばしたようななにかは、シュルシュルとすばやくコンクリートの上をはっていく。そして、マンホールの格子状のフタから下水溝に下り、姿を消した。

しかしそれが見えたのは、仗助だけ。

多くの人には、なにかが見えていない。それは仗助もうすうす感づいていた。だが、見えるのはスタンドを使える者だけだということを、仗助はまだ知らなかった。

警官たちがかけつけ、人質にされていた店員を抱きおこす。

仗助は「やべっ」と言うと、あわててその場から逃げた。

危険な事件に首をつっこんだことが良平にバレたら、やっかいなことになるからだ。


その一部始終を、憎悪のまなざしで見つめていた男がいた。

縫い目のほつれたボロボロのコートを着たこの男は、片桐安十郎。

通称、アンジェロ。

公園のベンチに座っていた帽子とサングラスの男は、このアンジェロだった。

そして、ヨシザワの口から出ていったなにかは、アンジェロのスタンド《アクア・ネックレス》だったのだ。

「よくも邪魔してくれたなぁ。いいさ、つぎはおまえだ。おまえを破滅させてやる……」

アンジェロは、唇のはしを片方だけ上げ、不敵な笑みを浮かべた。


その日の夕方、仗助はリビングの床にドカッと座り、テレビゲームに夢中になっていた。

そこへ良平がやってきて、仗助の頭をガツンとなぐりつける。

「痛ッ！　なにすんだよ、じいちゃん」

「仗助、おまえだろ？　コンビニの高校生だ」

「あっ……」

仗助は、しまったという顔をして、良平から目をそらす。コンビニで人助けをしたのが、バレてしまった。

「人質の女性がいるのに、犯人にむかっていったそうだな」

「ああ、あれはちがうんだって」

「人質になにかあったらどうするつもりだ！」

「それなら大丈夫だよ。なにも起きないから」

仗助のスタンドは、壊れたものを元の状態にもどす力を持っている。だから、人質がどんなにケガをしても、なにも起きなかったことにできるのだ。

「バカたれッ！」

と、良平はまた仗助の頭をたたいた。

「だから痛えって！　暴力警官！」

「いいか？　高校生は高校生らしく――」

仗助はそのあとのセリフを、良平の代わりに言った。

「勉強やスポーツに励みます、だろ？」

さんざん聞かされてきたから、覚えてしまったのだ。

「ああ、そうだ」

そんなやりとりをしていると、仗助の母親、東方朋子が帰ってきた。

仗助の家族は、良平と朋子の三人。生き別れになった父親がいるが、仗助は名前も顔も知らない。

朋子はとても美人で、道ですれちがう男たちがふりかえるほどだ。だけど朋子は、新しい恋愛にはぜんぜん関心がないらしい。再婚する気もないようだ。

「あら、お父さん。今日ははやいのね」

てきぱきとジャケットを脱ぎながら、朋子が言う。

「いや、交番にもどる。今日は泊まりだ」

「また事件があったの？」

「コンビニ強盗だってよ。こえーこえー」

と、仗助がふざけた口調で横やりをいれる。しかし、良平は仗助をしかりもせず、どんよりとうつむいた。

「仗助。あいつはあんなバカなことをするヤツじゃあない。きっとなにかあったんだ」

「じいちゃん……？」

良平は力なく立ちあがり、二階の自分の部屋へもどった。

良平の部屋には、いままで「町のおまわりさん」として地道に仕事をしてきた証がたくさんつまっていた。

町からもらった感謝状。

幼稚園や小学校からとどいた手紙や絵。

警察官に必要な体力を保つための、筋トレ器具。

しかし、ヨシザワやヒラタには、なにもしてやることができなかった。

「おれはなにをやっているんだ……」

と、良平は悔しげにつぶやき、壁に拳を打ちつけた。

そんな良平の正義感は、そのまま仗助に受けつがれ、いまは胸の奥底に眠っている。

父親の顔を知らなくても、仗助は愛情にあふれた若者に育っていたのだった。

4 仗助と承太郎

コンビニ事件の翌日。

学校の帰り、康一が自転車で長い坂道をくだっていると、遠くに仗助の姿を見つけた。

いつものとりまき女子三人組といっしょだ。

「いた。仗助くんだ」

と、康一が自転車のスピードをあげたそのとき、とつぜん大きな人影があらわれた。

「うわっ!!」

あわててハンドルを切ったのがいけなかった。自転車はバランスをくずして倒れ、康一は顔面から地面へ落ちていった。

ぶ、ぶつかる……!!

思わず目を閉じたつぎの瞬間、康一は、ケガひとつせず道に立っていることに気づいた。

すぐそばには見知らぬ男がいて、康一の自転車をつかんで支えている。

男が片手に持っている手帳型の地図には、表紙に「空条承太郎」と書いてあった。

それがこの男の名前だ。

承太郎は、長身に白いロングジャケットをひるがえし、頭には金属の飾りがついた白い帽子をかぶっていた。

体格は格闘家のようにたくましく、表情には知的な雰囲気がただよっている。

「よそみをしていて悪かった。大丈夫か?」

承太郎に声をかけられ、あわてて返事をする。

「はい」

康一が無事だったのは、承太郎のスタンド《スタープラチナ》のおかげだった。《スタープラチナ》が持つ多くの能力のひとつが、時間を一瞬だけとめる力なのだ。

もちろん康一はそんなことを知るよしもない。なにが起きたのかわからずに、ただおろいていた。

承太郎が地図をたしかめ、聞く。

「君はぶどうヶ丘高校の生徒かい？」

「はい」

「だったら、東方仗助を知っているか？」

それを聞いて、康一はぱっと顔を輝かせた。

この人と仗助くん……強そうな二人が出会ったら、なにかとんでもないことが起こりそうだ。

康一は、意気揚々とうなずいて、承太郎を案内した。

仗助ととりまき三人組は、公園を歩いていた。

「仗助くーん！」

「おう、転校生」

康一の声にふりかえった仗助は、そこに立っている男に目をとめた。

第一印象は、「ン！　なんかオレに似てるヤツだな」だった。

けれど、顔見知りではない。年齢は仗助より上に見えるが、母の朋子よりは年下だろう。

「この人が、仗助くんに話があるんだって」

初対面の男に話があると言われても、いまいちピンとこない。ぽかんとしていると、男はおもむろに話しはじめた。

「東方仗助。母親の名は朋子」

自分と母の名前を知っているなんて。実は前にどこかで会ったことがあるのか？　と思いながら、仗助はだまって男の声を聞きつづけた。

「父親の名は、ジョセフ・ジョースター。君のお母さんが大学生のときに二人は知りあい、そして別れたあとに君が生まれた。……許せ。ジョセフが君の存在を知ったのは、つい最近のことだ」

「？」

仗助も知らない父のことを、この男は知っている。

いったい何者なんだ。

「おれはジョセフの孫の、空条承太郎。奇妙だが、血縁上では君の甥にあたる」

「甥、ですか。てことは、おれはおじさん。はあ……どうも」

なぜかすんなり納得した仗助は、ぺこりとおじぎをした。


承太郎は、「二人だけで話したいから」と康一たちに言い、仗助を連れてすこしはなれた橋のほうへ歩いた。なるべく静かな場所のほうが話しやすい。

「ジョセフは七十九歳。まだ元気だが、いずれ君には彼の財産の三分の一が譲られる」

仗助はなにもこたえない。

「もっとも、おかげでジョセフの浮気がばれて、ジョースター家は大さわぎだ」

「大さわぎ……なんですか？」

遺産の話にはちっとも反応しなかった仗助が、その言葉に、わかりやすくうろたえている。承太郎はほほえんだ。

「ああ。ばあさんが結婚六十一年目にして怒りの頂点、ってやつさ」

すると、仗助がとつぜん姿勢を正して、ふかぶかと頭を下げた。

「すみませんですッ！　おれのせいでおさわがせしてッ！」

「おい。ちょっと待ちな。いったいなにをいきなりあやまるんだ？」

「やっぱり、家族がトラブルを起こすのはまずいですよ。おれの母は真剣に恋をして、おれを産んだんだと言ってます。おれもそれで納得してます」

仗助は、言葉を選びながら、なんとか気持ちを伝えようとした。

「おれにはじいちゃんもいて、三人で楽しく生きてます。だから気を遣わなくていいって、その……父さんですか……えーと、ジョースターさんに言ってください。以上です」

承太郎は、肩すかしを食った気分だった。

とつぜんこんな話を聞かされて、仗助はきっと怒りだすだろうと思っていたのだ。けれど、怒るどころかあやまられてしまった。

一礼して立ちさろうとする仗助を、承太郎はあわてて呼びとめる。

「待て。話はまだある」

「仗助。おまえ、変なものが見えたりはしないか？　そうだな、たとえるなら悪霊みたいな……」

それを聞いて、仗助が立ちどまった。

やはりそうか、と承太郎は思った。予想どおり、仗助はスタンド使いだ。

「見えるんだな」

とそのとき、康一ととりまき三人組が、しびれを切らしてやってきた。

「仗助くん。話は終わったの？」

康一がそう言うと、とりまきの女子たちが、仗助をかこんでキャッキャとはしゃぎだす。

「あっ、ジョジョ先輩の髪の毛にゴミがついてる。取ってあげる」

「ダメよ、ジョジョ先輩の髪の毛が乱れるって」

とたんに承太郎は不機嫌になった。まだ話が終わっていないのに、なにをチャラチャラしているんだ、こいつらは。

そしてついに、けっして言ってはならないことを言ってしまったのだ。

「おい、くだらねぇ髪の毛の話なんて、あとにしな」

その場の空気がこおりつく。

康一と女子たちは、おそるおそる仗助の顔色をうかがった。

完全にキレている……。

「てめぇ。おれの髪の毛がどーしたとぉ？」

仗助がユラリ、とふりかえり、するどい目つきで承太郎をにらむ。

康一はあわてて承太郎に取りすがった。

「はやくあやまってください！　仗助くんは、髪の毛のことを言われると、すぐにキレるんです！」

事情を知らない承太郎は、どうにも納得がいかない。まあ、話せばわかるだろうと、仗助に近づいた。

「おい、待ちな。なにもてめーをけなしたわけじゃ――」

つぎの瞬間、仗助の左肩から腕が飛びだした。

反射的に承太郎の右肩からも、同じく腕が飛びだす。

しかし、どちらも二人の腕ではない。スタンドの腕だ。

スタンドを見ることができない康一や女子たちには、ただ突風が巻きおこったようにしか感じられなかった。

「！」

バシィッ、という音とともに、仗助がよろめく。切れた唇から血がにじんだ。

承太郎のスタンドのほうが、一瞬はやく攻撃したのだ。

おくれた仗助側の攻撃は、承太郎のかぶる白い帽子に裂け目をいれただけだった。

しかし、どちらのスタンドもスタンドを攻撃しただけで、仗助と承太郎には触れていない。それでも仗助の唇は切れ、承太郎の帽子は裂けた。

不思議だった。

仗助は体勢をたてなおし、正面にいる承太郎をグッとにらんだ……はずだった。

気づくと、承太郎は仗助のうしろにいる。

「えっ？　いつの間に⁉」

康一たちがキョロキョロしている間に、うしろにまわった承太郎が、仗助をなぐりつけた。

それを見て、とりまきの女子たちが仗助にかけよる。

「ジョジョ先輩！」

「ひどーい」

「先輩、大丈夫？」

キャッキャッと大さわぎをする女子たちを、承太郎が「やかましいッ！　おれは女がさわぐとムカつくんだッ！」と一喝する。三人はしゅんとして、「ごめんなさい」と返事をした。

実は承太郎は、昔からとてもモテる。高校生のころなど、ファンが大さわぎしながらあとを追ってくることがよくあった。そのせいで、いまでもやかましい女の子たちが苦手なのだった。

やれやれ。気を取りなおした承太郎は、ふうと息をはいた。

「やっぱり、おまえも持っていたか。仗助、いまのはスタンドだ。スタンドはスタンドを持つ者にしか見えない」

仗助のスタンドはヒトのような形ではあるが、奇妙な姿をしていた。首から生えた数本のパイプが背中につながっているのだ。

承太郎のスタンドはもっとヒトに近い姿をしている。ごわごわした長髪と筋肉質のボディが、古代の戦士を思わせた。

仗助は、自分が持っている力について、あまり関心がなかった。当たり前すぎて、いまさら聞くことなんてないと思った。

「そのスタンドについてだが――」

「いいっす。聞きたくないっす。きのうもそんなのを見たし」

仗助は、コンビニ強盗の口から出てきた、奇妙な水を思いだしていた。

あれは下水溝の中にはいり、どこかへ消えていった。

「きのうも見た？　この町でか？」

「はい。コンビニで強盗事件があって、そのときっす」

「で、どうした？」

「どうもしないっすよ。おれ、ああいうのまったく興味ないっすから。じゃあ」

仗助はぺこりとおじぎをして、去っていく。

「やれやれ……」

そうつぶやき承太郎が帽子をさわると、裂けた部分が妙な形にゆがんでくっついていた。

「この帽子……なおったということか？　どんなスタンドなんだ……」

攻撃スピードがすさまじいだけではなく、壊したものの修復までしてしまうとは。

ただし仗助が怒っていると、元どおりになおるという保証はないようだ。承太郎の帽子がいい例だった。

とつぜんあやまったり、髪型のことでキレたり、なんともつかみどころのないクレイジーなヤツだ。

承太郎は、仗助のスタンドを《クレイジー・ダイヤモンド》と呼ぶことにした。

宿泊先の杜王グランドホテルにもどった承太郎は、携帯電話を手に取った。ジョセフに電話をし、流暢な英語で一部始終を報告する。

「じいさん。仗助に会ったよ。あんたのかわりになぐられる覚悟で行ったのに、逆にあやまられた。ばあちゃんに申し訳ないとさ。マジで危ないところはあるが、たのもしいヤツかもしれない」

机の上のノートパソコンには、杜王町で最近起きた凶悪事件が映しだされている。

その中には、公園で変死したヒラタの事件もあった。

「じいさん、仗助はすでにこの町でスタンドを目撃している。あんたの言うとおりだ。なにかヤバい危機が、この町にせまっている……」

承太郎はロングジャケットのポケットから、一枚の写真を取りだした。

そこには、アンジェロこと片桐安十郎の顔が、心霊写真のように浮かびあがっていた。

5 アンジェロと形兆

承太郎がジョセフに電話をしていたころ――。

杜王町のとあるレストラン。テーブルをはさんで二人の男が座っていた。

一人はアンジェロ。骨付きチキンから手で骨をはずし、それでグラスの水をかきまわす。

「おれもあんたを感じたよ。ああ、おれたちは仲間だ。育ちはまるでちがうがな」

むかいに座る黒い服の男は、フォークとナイフを優雅に使い、流れるような上品さでステーキを食べていた。

彼の名は虹村形兆、二十一歳。

アンジェロはニヤリと笑って、形兆に問いかけた。

「あの矢はどこで手にいれた」

アンジェロがスタンドを手にいれたのは、形兆の矢に射ぬかれた日だった。

一週間前。

アンジェロは杜王町で殺人を犯し、「東方」という名前の警官に追われていた。名前を知ったのは、偶然だった。アンジェロがある家をおそい、そこで飯を貪り食っていると、テーブルの上に置かれた被害者の携帯電話に着信があった。表示されたのは、通報を受けてかけつけてきた警官の名前――『東方良平巡査長（交番）』だった。

良平に追われたアンジェロは、夜の川べりを走って逃げた。

すると、一人の男がふらりとあらわれた。

虹村形兆だった。形兆の手には、古びた茶褐色の弓がにぎられていた。

「だれだ、おまえは」

アンジェロがにらむと、形兆は迷いなくアンジェロに矢をむけた。

「よせ、やめろッ！」

逃げだそうとするアンジェロの首に、ドスッと矢が突き刺さる。

首からどくどくと血を流し、アンジェロはその場に倒れた。ふつうなら死んでいてもおかしくない。

しかし恐るべきことに、アンジェロは死ななかったのだ。

それを見て、形兆は満足そうにつぶやいた。

「出会いとは重力。重力とは愛、仲間……。おめでとう。おまえは選ばれた」

この矢に貫かれてなお生き残った者は、スタンドを獲得する。

アンジェロの血は、地面を伝って川へ流れこんでいった。

直後、川からザァッと水柱が立ちあがる——。


こうしてアンジェロは、水にまざって相手を攻撃する《アクア・ネックレス》を手にいれたのだった。

そのあとアンジェロは警察につかまったが、取り調べ中に刑事をスタンドの力で殺し、逃亡した。

そしていくつかの殺人をくりかえし、いま、レストランで肉を食っているのだった。


「矢はどこで手にいれたんだ」

「おまえには関係ない」

形兆はアンジェロの顔を見もせず、ステーキを口に運んだ。

「だったらおれも自由にやるぜ。おれの遊びを邪魔するヤツは許さねえ」

「……邪魔をされたのか？」

「ああ。高校生のガキにな。あのやろう、正義の味方のつもりか？　絶対にぶっ殺してやる！」

アンジェロがそう吐き捨てると、形兆の手元にあるグラスがカタカタとゆれはじめ、水が浮きあがった。まるで生き物のように。

形兆はまったく動じない。静かな声で言う。

「自分の父親も、邪魔だから刺したのか」

「そうさ。おれがこうなったのは、ぜんぶあの男のせいだ。あの男には憎しみしかなかった。あんたはどうだ。親が憎くないか？　いいぜ、いつだっておれが始末してやる」

アンジェロがそう言うと、形兆の表情がふいに険しくなった。

それに反応するかのように、とつぜん――


バリンバリン！


テーブルの上でグラスが割れ、その音がレストランじゅうにひびいた。

グラスを壊したのは、形兆のスタンドだ。

得体の知れないなにかが攻撃し、グラスを破壊した。テーブルにも奇妙な細かい傷あとが残っている。

アンジェロも的にされていた。ドスッとあおむけに倒れると、おびえて言いつくろう。

「じ、冗談だよ。おれはあんたには逆らわねえ。あんたはおれを自由にしてくれた恩人だ」

「おまえの運命だ。好きにすればいい」

アンジェロが、ふらつきながら立ちあがる。

「だったら、あんたの目的はなんだ？」

形兆はなにもこたえずにアンジェロを見つめ、皿の上の肉にナイフをいれた。


東方家では、良平の夜勤がない夜には、家族三人、水いらずで食事をする。

良平はブランデーを飲み、ずっと上機嫌だ。

「こうやって一日の最後を、娘と孫と過ごし、うまい酒を飲む。これで町が平和になれば言うことはないな」

「ねえ、杜王町はほんとうに大丈夫なの？」

朋子が不安そうにつぶやいた。

ここ最近、町では凶悪な事件がいくつも起きている。朋子はニュースで目にするたびに背筋がぞっとした。

「心配するな。すぐに解決するさ」

「そうかしら……」

「この町の人間を信じろ。根っから悪いヤツなんてそうそういやしない」

料理をぱくつきながら、仗助がうなずく。

「おう、じいちゃんらしいぜ！」

「仗助。おまえもな、そうやって無事に生きていることを感謝しろよ」

「わかってるよ」

「なんたっておまえは、四歳のときに一度死にかけた。だけどいまは元気で生きている。おまえは生かされたんだよ」

仗助は四歳のとき、原因不明の発熱で五十日間も生死の境をさまよったことがあるのだ。

「おう」

「あれからもう十三年だ」

「お父さん、またその話？　飲みすぎよ」

良平は、年老いた自分の体力が、日に日に落ちていることを知っていた。朋子にからかわれてギクリとしたが、気を取りなおしてブランデーを飲む。

「バカたれ。この程度の酒で酔ってたまるか！」

強がってみたものの、やがて良平は酔い、食事が終わると、リビングのソファで眠ってしまった。

おだやかな顔で眠る良平を、朋子と仗助はのぞきこむ。

「楽しいのね。仗助と過ごす時間が」

仗助は毛布を持ってきて、そっと良平の体にかけた。

「だけど、最近のじいちゃんは働きすぎだぜ」

「必死なのよ。町の人を守るのに」

仗助には、いままで朋子に聞けなかったことがあった。今日は思いきって聞いてみてもよさそうだ。

「なあ。おふくろはもう結婚とかしないのかよ」

「なによ、急に。いいの、男なんて興味なし」

「ふーん……」

「私の恋人は生涯ただ一人。おまえの父さんだけよ」

仗助の父親。ジョセフ・ジョースターだと、承太郎は言っていた。

いまさらだれが父親だろうと関係ないが、いったいどんな人なのかと、すこしは仗助も気になった。

「そんなにいい男だったのかよ、そいつは」

「いい男よ。そうねえ、仗助もあの人に似てきたかも」

「知らねーよ。会ったこともねえし……。似てんなら、じいちゃんさ」

「そうね」

息子の言葉を聞いてほほえましい気持ちになった朋子は、目を細めてふふっと笑った。


朝の通学路は、ぶどうケ丘高校へむかう生徒たちでいっぱいだ。

康一がいつもの道を自転車で走っていると、ずいぶん先に仗助の背中が見えた。

「あっ、仗助くんだ」

仗助にはわたすものがあるのだ。承太郎の電話番号を書いた紙を、康一は預かっている。

自転車のスピードをあげようとしたが、とつぜんあらわれた由花子に呼びとめられる。

「おはよう、康一くん」

「うわっ。お、おはよう……」

おどろいて自転車をとめた康一に、由花子はほほえみかけた。

「じゃあ、宿題の確認。英語のおさらいね」

「う……うん」

康一は、仗助を追うのをあきらめて、自転車をおりて歩きだした。

由花子はニコッと笑うと、康一をためすように見つめる。

「ねえ、私を見て。なにか気づかない？」

「えっ？」

「私、どこか変わったでしょ？」

……と言われても、さっぱりわからない。

「ええと……どこだろう……髪型……かな？」

となりを歩く由花子は、冷たい声で「髪型はきのうと同じ」とこたえた。

「え……ああ、目？　鼻？　口？」

「ほんとうにわからないの？」

由花子はいらだたしげに立ちどまり、両手の指先を康一に見せつけた。

「あっ！　爪です！　爪がとてもキレイです！」

どうかまちがっていませんようにと、祈るような気持ちで康一がこたえると、由花子はパッと明るい表情にもどった。

「うれしい。康一くん、気づいてくれたのね」

気づいたというより、むりやり気づくようにしむけられたのだけれど、とりあえず由花子の機嫌がなおって康一はほっとした。

「これね、爪やすりを使って何時間もかけて磨いたの。それから艶を出すために何万円もする特別のクリームをぬって……。康一くんなら私のすべてに気づいてくれると信じていたわ」

由花子に熱く見つめられ、康一は思わず目をふせた。

目をふせたのは、ほんの一瞬だ。

それなのに。

視線を上げると、いままでとなりにいたはずの由花子がいない。

しかし、移動したのは由花子ではなかった。康一が三メートルほどうしろに移動していたのだ――まるで超能力でも使ったかのように。

「ええっ、なんで!?」

康一はびっくりして、自転車ごと倒れてしまった。

由花子がかけよってくる。

「もーう、康一くんたらほんとうに世話が焼けるんだからー」

由花子に助けられてあたふたしている康一を、すこしはなれた場所で大柄な男子生徒がにらみつけていた。

人相が悪い男子生徒だった。眉をひそめているせいか、眉間を真ん中にして顔全体に「×」を描いたようなシワができていた。

彼の名前は、虹村億泰。

康一と同じ高校二年生で、虹村形兆の弟だった。

康一と仗助は、億泰とふたたび出会うことになるのだが、それはもうすこし先の話だ。

昼休みに屋上に行った康一は、ようやく仗助と会うことができた。

仗助はコンクリートの上に寝転がって、のんびり空をながめている。

空はいちめんの雲におおわれていた。

「仗助くん」

康一が上からのぞきこむと、仗助は「おう、康一か」と言って起きあがった。

「ありがとう。やっと名前を覚えてくれたんだね。はい、承太郎さんの電話番号」

康一はメモ書きをわたして、仗助のとなりに座った。

「しばらく杜王町にいるみたい。承太郎さん、海洋学者なんだって」

「べつに関係ねえし」

仗助は受けとったメモ書きを、無造作にポケットにつっこんだ。

「あのときの仗助くんと承太郎さんって、きっとぼくらにはわからない、なにかがあったんだよね」

仗助はそっぽをむいたままなにもこたえない。

「ぼく、この町に越してきてよかったよ」

「なにがだよ」

「なにか奇妙なことばかりだけど、すごくワクワクする」

「変なヤツだな」

康一が笑うと、仗助も笑った。

空に浮かぶ雲が厚みを増してきた。ひと雨きそうな天気だ。


その日はずっと天気が悪く、日が落ちる前から空は薄暗かった。

承太郎は、ホテルの部屋でじっと壁を見つめていた。

壁には、アンジェロに関する事件記事が雑然と貼られている。

アンジェロの手配写真の横には、不気味に顔が浮かびあがった写真もならんでいた。

「片桐安十郎。通称、アンジェロ。これまでに少なくとも七人を殺害。殺人未遂は十三件。最初の被害者は、父親……」

アンジェロの脱走後、変死事件が六件起きていたが、どれも被害者の死因は内臓破裂。

「そのすべてが、外からではなく、まるで体内から何者かが切りさいたような傷……」

承太郎は窓に近より、外を見る。

空はどんよりと曇り、いまにも雨が降りだしそうだった。

「公衆トイレ、海岸、公園の噴水池……。事件はいつも水場で起きる。それがヤツのスタンドの特徴……」

承太郎は携帯電話を手に取り、仗助の番号をタップした。アンジェロのスタンドに注意するよう、言っておくためだ。

しかし何度電話をしても、仗助にはつながらない。

「まさか、アンジェロのヤツ……」

承太郎はアンジェロの写真を無造作にはがすと、それを持ってホテルの部屋をあとにした。

♡ ☮ ⚓

バタン。

帰宅した仗助がドアを閉め、

「ただいま」

と言ったそのとき、二階からドスン！　と大きな音が聞こえてきた。

この時間に二階にいるのは良平だ。

ハッ！　まさか、具合を悪くして倒れたのではないだろうか……。

「じいちゃん!?」

仗助はカバンを床にほうり投げて、階段をかけあがった。

カバンの中では携帯電話がジジジジと振動していたが、あわてている仗助が気づくはずもない。

「じいちゃん！　なんだよいまの音！」

良平の部屋に飛びこんだ仗助は、ホッとして力が抜けてしまった。

良平は、ピンピンしていた。倒れるどころか、両手に鉄アレイを持ち、筋トレのまっ最中だったのだ。

「おう、仗助か。悪いな。鉄アレイを落とした」

雨が降ってきたようだ。窓の外でザーッと音がする。

「なんだよもう。じいちゃん、無理するなって。腕、震えてんじゃんか」

「バカ言うな。ヤワな体で町の平和が守れるか。ああほら、どこまで数えたかわからなくなっただろう。ええと、九十八、九十九、百」

腕を曲げながら百までカウントした良平は、鉄アレイを片づけて言う。

「この町の人間は、おれが守り、助ける。それがおれの人生だ」

「演歌かよ。おれはカンベンだからな、そういうの」

「そう言うな。仗助の〝仗〟の字は――」

「だからカンベンだって」

仗助がさえぎると、良平はさもおもしろそうにハハハと笑い、こんどは腹筋運動をはじめた。

「まあいいさ。おれはおれ、おまえはおまえだ」

ほんとうにがんこオヤジだなぁ、と、仗助はすこしあきれて部屋を出た。

仗助と良平は、すぐ近くに危機がせまっていることを知らなかった。

二人が部屋で話していたまさにそのとき、東方家の庭先には、アンジェロが立っていたのだ。

本格的に降りだした雨の中で、アンジェロはずぶぬれのまま、表札を見つめていた。

「東方……。おもしれえ。あのときおれを追ってきた警官か……」

そうつぶやくと、近くの公園へ歩いていく。公園のシンボルでもある大きな岩の前には水飲み場があり、アンジェロはそこに立った。

雨の中、シャワーでも浴びるように両手を広げ、暗い空を見あげる。

「さあ、どこにも逃げ場はないぜ」

水飲み場の蛇口から、ザァアアッと水が流れだした。

その水の流れに逆らい、黒いなにかが蛇口に吸いこまれていく。

「行け、《アクア・ネックレス》。一家みな殺しだ……」

アンジェロは、悪魔のようなほほえみを浮かべた。

6 アクア・ネックレス

一階のキッチンにおりてきた仗助は、冷蔵庫から冷たいオレンジジュースを取りだして、ビンのままゴクゴクと飲む。

そこへ、朋子がやってきた。どうやら出かけるつもりらしい。いつも飲んでいるサプリメントを手に取った。

「お父さん、なにかあったの？　大きな音がしたけど」

「なんでもねえよ。あれは鉄人ジジイだ」

それを聞いて、朋子は笑った。

「ホントね」

「出かけんのか？　外は雨だぜ」

「トラサルディーっていう、おいしいイタリアンのお店を見つけたのよ。そうだ、仗助もいっしょに行かない？」

朋子はそう言いながら、水道の水をコップにそそいで、サプリメントを飲んだ。

しかし、仗助には見えたのだった。

朋子の口の中に、不気味な黒い影がスルッとはいっていくのが——。

「…………!!」

仗助がおどろいて見つめていると、朋子が言う。

「なによ。そんな顔しなくても」

朋子には、奇妙な物体を飲みこんだという感覚はないようだ。

とっさに仗助は、さっき飲み干したオレンジジュースの空ビンを手に取り、すばやくフタをした。

それを持ち、朋子の背後にまわる。

仗助の横に、空きビンを持った《クレイジー・ダイヤモンド》があらわれ、その手を朋子の背中からつっこんだ。

手はみぞおちを貫通し——しかしつぎの瞬間、なにごともなかったように元にもどっている。

朋子が不思議そうにふりむいた。

「行くの？　行かないの？」

「ああ、おれはいいや」

「あら、残念」

朋子には《クレイジー・ダイヤモンド》は見えない。しかも、腹に穴を空けられた痛みもないから、なにをされたのか気づいていなかった。

「ひさしぶりに仗助とデートしようと思ったのに」

「なに言ってんだよ」

「じゃあ、行ってくるわね。あっ、お風呂の支度をするの、忘れてた」

「いいよ。おれがやっとく。はやく行けって」

仗助はビンを持った片手を背中に隠し、片手で朋子に手をふった。

朋子が玄関を出ていくと、仗助はビンを目の高さまで持ちあげて、中をのぞきこんだ。

なにか、ぐねぐねと動くものがはいっていた。

透明で小さくて人相の悪い、人形のようなスタンドだ。プロレスラーのかぶるマスクのようなケッタイな顔をしている。

《クレイジー・ダイヤモンド》の腕は朋子の体をつらぬき、いったん破壊したビンをこんどは胃の中で修復した。そのときに、ビンの中に《アクア・ネックレス》を閉じこめたのだ。

「グレートだぜ」

仗助はそうつぶやくと、カバンにいれっぱなしにしていた携帯電話を取りだした。

見ると、承太郎からの着信履歴がある。さっそく電話をした。

「承太郎さんですか？」

「仗助か？」

「すみません。電話、気づかなかったっす」

「おまえに話がある」

「おれもっす。スタンドでしたっけ、つかまえちゃったみたいです」

「なに!?」

承太郎は電話口でおどろいた。

「きのう話したヤツです。こいつ、こんどはおふくろの口の中にはいりやがって」

「それをつかまえたのか？」

「はい。ビンの中に閉じこめてやったんすよ」

仗助はビンの中の《アクア・ネックレス》を、ものめずらしそうに見つめた。

あらためてよく見ると、その全身には目玉のような模様がついている。

「いまからおまえの家にむかう。おれが着くまで、そいつをしっかり見張ってろ。絶対に逃がすな」

「これ、やばいヤツっすか？」

「スタンドをあやつっているのは、アンジェロ。脱走中の凶悪な殺人犯だ」

「ふうん。アンジェロっすか……」

「ああ。そいつはおそらく水を通して人間の体内にはいりこみ、内側から破壊する」

「まじっすか⁉　了解っす」

承太郎には、なんだか仗助の反応がおもしろく思えた。

仗助は、体はでかくて度胸はあるし、持っているスタンドも強力だ。けれどまだまだ高校生、子どもっぽいところもある。

「了解っす……か」

仗助の口調を真似して、承太郎は愉快そうに笑った。

電話を切った仗助がビンの中を見ると、はいっているのは水だけで、スタンドがいない。

「絶対に逃がすな、だとさ。あいつ、甥っ子のくせにちょっと生意気だぜ」

仗助は、ビンをつかんでガボガボガボガボと思いっきり上下にふった。

と、消えていた《アクア・ネックレス》の姿があらわれ、苦しそうにうめいた。

『グバァッ!!』

それと同時に、外で物陰にひそんでいたアンジェロも、同じようにうめく。

「グバァッ!!」

スタンドを攻撃されると、本体である持ち主もダメージを受ける。

「くそガキがぁ。なんとかして、あのビンから抜けださねえと……。絶対にぶっ殺してやる」

降りしきる雨の中、アンジェロは、《アクア・ネックレス》を脱出させる方法を必死に考えていた。

いっぽう、スタンドをつかまえて安心した仗助は、ビンをテーブルに置き、ソファに座ってテレビゲームをはじめた。

承太郎がやってくるまでひと遊びするつもりだったが、階段をおりてくる良平の足音を聞いて、風呂のことを思いだした。

「あっ、やべえ！　風呂の支度するの忘れてた。すぐやるよ」

良平はのんびりとこたえる。

「おう。ゆっくり待ってるさ」

あわてて風呂場へ飛んでいく仗助を見送って、良平はブランデーのボトルをさがしはじめた。どこかにまだ開けていないボトルがあったはず――。

リビングのテーブルの上では、ビンに閉じこめられた《アクア・ネックレス》が良平の様子をじっとうかがっていた。

ズズズズズ……。

《アクア・ネックレス》がビンの中で体をゆすると、無色の液体は茶色に変わった。ビンの表面にブランデーのロゴラベルがあらわれ、数秒後にはすっかりブランデーボトルになってしまった。

なにも知らない良平は、テーブルの上にあるめずらしい形のブランデーボトルを見つけると、にんまり笑う。

「朋子が買っておいてくれたんだな。ありがたい」

大事そうにボトルをかかえ、二階へ上がっていった。


仗助が風呂場からリビングにもどってきたときだった。

二階から大きな音が聞こえてきた。

「なんだ、またか。どんだけ鍛えてんだよ」

あきれ気味にそうつぶやき、テーブルに目をやる。

上に置いていた《アクア・ネックレス》いりのビンが消えていることに気づいた。あわてて床の上や流しなどをさがすが、ビンはどこにも見あたらない。

「もしかして……。じいちゃん！」

仗助は二階へかけあがり、良平の部屋へ飛びこむ。


「じいちゃん！」


良平は、床にあおむけで倒れていた。

服は大量の血に染まっている。

その横には、《アクア・ネックレス》を閉じこめておいたビンが転がっていた。

良平は、ブランデーに化けた《アクア・ネックレス》を飲んでしまったのだ。

「じいちゃん！　おい、じいちゃん！」

仗助がいくら呼んでも、良平はぴくりとも動かない。

と、そのとき、承太郎が家の中に飛びこんできた。

「仗助！」

「あっ、承太郎さん。じいちゃんがビンの栓を開けちまったんだ。でも心配ないぜ。ちょっとした傷だ」

仗助は大きな体を折ってしゃがみ、良平の顔に手をかざした。

「こんな傷ぐらい簡単に……」

手をかざした部分が白い光に包まれたかと思うと、見る見るうちに、傷が消えていく。

服についていた大量の血も消えた。

「ほらね。さあ、なおったぜ、じいちゃん」

しかしそのとき——

ガシャン!

階下から、グラスの割れる音が聞こえてきた。

承太郎は、仗助をその場に残し、部屋を飛びだしていった。

一階の床は水びたしになっていた。

冷蔵庫や戸棚が開きっぱなしになっていて、床に転がったビンや紙パックから液体が流れだしていた。

見ると、キッチンの水道の蛇口が全開になり、水がシンクからあふれている。シンクのふちにかけられたピンク色のゴム手袋は、いまにも流れおちそうになっていた。

承太郎はバシャバシャ水しぶきをあげながらかけより、水道をとめた。

すると、天井から声が降ってくる。

『おいおい。だれなんだ、おめーは』

見あげると、《アクア・ネックレス》が邪悪な瞳をむけて、天井に張りついていた。

『なんだ、おれの声が聞こえるのか？　まさか、おめーも……』

「アンジェロ、貴様のスタンドだな？」

承太郎がさけぶと、《アクア・ネックレス》がニヤリと笑った。

『まあいいさ。おめーから始末してやる！』

そう言うがはやいか、天井から雨のように降りかかり、承太郎をおそった。

口から侵入されたら、内側から破壊されてしまう。承太郎がとっさに手のひらで口をおおうと、《アクア・ネックレス》はふたたび天井にもどって張りついた。

そこへ仗助がかけこんでくる。

「てめえ。絶対に許さねえッ！」

その声に、《アクア・ネックレス》はあわてて壁をはいにげる。

『ふう。やべえやべえ』

仗助が見失っているすきをついて、《アクア・ネックレス》は仗助に飛びかかった。水しぶきがチェーンのように長くのびて、仗助の口めがけて直進する。

仗助はそれをよけようとして、床に倒れそうになる。

このままでは仗助の体内にはいりこまれてしまう。

危機を察知し、承太郎はさけんだ。

「スタープラチナ・ザ・ワールド！」

承太郎によりそうように、スタンド《スタープラチナ》があらわれた。

その瞬間、時がピタリととまった。

時計の針、空中に飛びちった水しぶき、倒れそうになった仗助の体。

すべてが、その場に静止していた。

《アクア・ネックレス》は、いままさに仗助の口に飛びこもうとしたところでとまっている。

《スタープラチナ》は、かたむいている仗助の体を元にもどすと、《アクア・ネックレス》をつかんで投げ、拳で連打した。


『オラオラオラオラオラオラオラオラオラオラァ！』


ふたたび時が動きだした。

なぐられて吹っとばされた《アクア・ネックレス》は、壁にたたきつけられた。なにが起きたのかわからず、きょとんとする。

『なんだ、いまのは。だがな、ムダだ。だれもおれ様を倒せねえ』

そう言いのこすと、《アクア・ネックレス》は水にとけこみ、びしょぬれのキッチンのどこかに姿を消した。

バランスを失い、床に尻もちをついた仗助は、なにが起きたのかわからず、ぼうぜんとしていた。

仗助を引きおこしながら、承太郎は言った。

「時間をとめる。それがおれのスタンドの能力だ」

そうだったのか、と仗助はようやく理解した。初めて会ったとき、承太郎が瞬間移動したように見えたのは、スタンドのせいだったのだ。

仗助はふと窓の外を見た。雨が降っている。

どこかに《アクア・ネックレス》がいるはずだ。はやく見つけないと——。

「仗助、冷静になれ。外は雨。ヤツは自由自在だ。ヤツが体内にはいったら、おまえはどうなる？　おまえは自分の傷はなおせない。ちがうか？」

仗助の下唇のはしには、切った傷跡がまだ残っている。二人が初めて会った日に、スタンド同士が戦ってできた傷だ。

仗助は、怒りに震えながらうなずいた。

「ああ。死ぬでしょうね、そのときは。でもおれはべつに冷静ですよ。ぜんぜんね。チコッと頭に血がのぼっているだけっす」

自分に言いきかせるように、声をおさえてこたえる。そうでもしなければ、キレてしまいそうだった。

すると、とつぜん、湯沸かし器からお湯が流れだした。シューッと湯気が立ちのぼり、キッチンにどんどん広がっていく。

承太郎がささやいた。

「仗助、これはワナだ」

「でしょうね」

ワナだとわかっていても、仗助は湯沸かし器のお湯をとめる。その足元に、ポットが落ちてきて、中のお湯が飛びちる。また、湯気だ。

湯気がおそってくるのは、キッチンの中だけではなかった。

廊下からも、もくもくと湯気が流れてくる。

「風呂か……」

『もうおまえらは、どこにも逃げられねえ』

《アクア・ネックレス》のざらついた声が、どこからともなく聞こえてくる。

湯気も水蒸気も、水が形を変えたものだ。いまや《アクア・ネックレス》は、湯気や水蒸気にまぎれて自由に飛びまわれるようになってしまった。

「仗助、どう切りぬける？」

承太郎が聞くと、仗助はあたりを見まわした。

白い湯気が充満して、視界が悪い。

が、シンクにあるものを見つけた。

ゴム手袋だ。

「切りぬける？　ちがいますね……」

仗助は壁を見つめてつぶやいた。

「ぶち壊して、ぬける！」

つぎの瞬間、仗助のスタンド《クレイジー・ダイヤモンド》が拳を突きだし、壁をぶち壊した。

壁のむこうは、朋子の部屋だ。

仗助と承太郎が部屋を移動すると、《クレイジー・ダイヤモンド》は穴を元通りになおす。

これなら充満した湯気をシャットアウトできるというわけだ。

「これでよし」

二人がほっと安心したそのときだった。

仗助が手をかざすと、空気が湿っているのがわかった。

「承太郎さん、やばいっすよ。この部屋には、見えない蒸気が充満している……」

ふりかえると、そこにあったのはスイッチのはいった加湿器だった。

「あっ！」

おどろいた仗助が口を開けた瞬間、蒸気の中にひそんでいた《アクア・ネックレス》が、仗助の口に飛びこんだ。

「うっ……うぐぅ……うぐおぁ……おおおおおっ」

カッと目を見開いた仗助は、のどのあたりを手で押さえて苦しみはじめた。

「仗助ッ！」

承太郎が近よるも、なすすべがない。その間にも、仗助の顔は青ざめていった。

仗助の体の中から、《アクア・ネックレス》の笑い声が聞こえる。

『ウップププ。勝ったッ！　壁をぶちやぶってこの部屋へ来ると思ってたぜ！　こうも予想どおりにハマってくれるとは、腹の底から笑いがこみあげてくるぜ！』

仗助は苦しさに顔をゆがめ、承太郎を見あげた。

「……ヤツの言った言葉、まちがってますよ」

「仗助？」

「予想したことがそのとおりハマっても、こみあげてくるのは笑いじゃねえ……」

仗助の背後に《クレイジー・ダイヤモンド》があらわれる。

と同時に、仗助の口からなにかが吐きだされた。

キッチンにあったゴム手袋だ。

腕の部分が縛られた手袋の中には、《アクア・ネックレス》が閉じこめられていた。

『プギャー！』

手袋がジタバタと床の上で暴れる。

仗助はまだ苦しそうに胸のあたりをたたきながら言った。

「……この手袋をズタズタにして、飲みこんどいたんですよ。体の中にはいってこられたときのことを予想してね。で、元にもどして閉じこめた」

《クレイジー・ダイヤモンド》は、手袋をつかむと、目にもとまらぬ速さでブンブンふりまわした。

しかし、アンジェロをさがすのはあとまわしだ。良平の様子をたしかめようと仗助と承太郎は二階へもどった。

部屋に入ると、傷をなおしたはずの良平はまだ床に倒れている。

「もう大丈夫だぜ、じいちゃん」

仗助が声をかけるが、良平は目を開かない。それどころか、指ひとつ動かそうとしなかった。

「……あれ？　そんなはずねぇ。このぐらいの傷、おれは簡単になおせる。子どものときから何度もなおしたし……。おい！　なんだよ、つかれてんのか？　じいちゃん！」

耳元でさけんでも、体をゆすっても、良平はいっこうに目を覚まそうとしなかった。

仗助は、あわてて良平を抱きおこそうとする。

その腕を、承太郎はグッとつかんでとめた。

「仗助……」

「大丈夫だよ、傷は完璧に……」

仗助は涙で声をうわずらせ、承太郎を見あげた。

が、承太郎が悲しげな表情をしているのを見て、思わず言葉を飲みこんだ。

承太郎の静かな声がひびく。

「人間は、なにかを破壊して生きていると言ってもいい生き物だ。その中で、おまえの能力はなによりもやさしい。だが……」

そんな仗助の能力をもってしても、太刀打ちできないものがある。

死だ。

良平は、死んでしまったのだ。

「……生命が終わったものは、もうもどらない。どんなスタンドだろうと、もどせない」

仗助はぼうぜんと目を見開き、うつむいた。

「……じいちゃん……じいちゃん――」

泣きながら呼んでも、もう二度と良平が返事をすることはなかった。

やがて仗助は涙をこらえて立ちあがる。

窓を開けると、雨はもうやんでいた。

承太郎と《アクア・ネックレス》いりのゴム手袋をつかんだ仗助は、ぬかるんだ外へかけだしていった。

そのころアンジェロは、公園にいた。

「うぎゃぁぁぁぁ！」

自分のスタンド《アクア・ネックレス》がふりまわされた瞬間、アンジェロの体も激しく空中へ舞いあがる。やがて、ものすごい勢いで落下した。

地面にたたきつけられたアンジェロは、体を起こして逃げようとする。が、足がもつれてまともに歩けない。

そこへ、仗助と承太郎があらわれた。

「クソッ、つかまってたまるかッ！」

アンジェロはコートのポケットからナイフを出し、手あたり次第にふりまわす。

「悪いのはおまえだ……おまえがおれの邪魔をしたからだ……」

「ふざけんな」

仗助が《アクア・ネックレス》の入ったゴム手袋をふりあげると、アンジェロは空中へ飛んでいく。と同時に、持っていたナイフもどこかへ飛んでいった。

ドスンと落ちてきたアンジェロを、仗助は噴水池の横にある大岩に追いこむ。

逃げ道を失ったアンジェロに、承太郎が問いかける。

「貴様、どうやってスタンド使いになった？」

承太郎は生まれながらにしてスタンド能力を持っていた。しかし、アンジェロはちがうはずだ。これ以上、アンジェロのような凶悪なスタンド使いを増やすわけにはいかない。

そのためには、どうやってスタンドを得たのか、はっきりさせておかねばならない。

「さあな……。どうする？　この町にはもっとヤバいヤツがいるぜ。おまえらでも倒せやしねえ」

まともにこたえようとしないアンジェロに、仗助はいらだった。

これ見よがしにゴム手袋をふりあげようとすると、アンジェロがあわててそれを止める。

「ま、待て。おれは矢を刺されたんだ。それで――」

「矢を刺された？　だれに？」

「名前は知らねえ。黒い服を着た若い男さ。あいつが勝手におれを選んだんだ。悪いのはあいつだ」

仗助はアンジェロをにらんだ。

さっきから聞いていれば、すぐに「おまえが悪い」だの「あいつのせいだ」だの、他人に罪をなすりつけてばかりいる。

そういう卑怯なヤツが、仗助はいちばんキライだった。

「てめえ。人のせいばかりにするんじゃあねえぞ」

こらえきれずに仗助がなぐると、アンジェロはニヤニヤ笑った。

「おい！　おれを殺すのか!?　そりゃあ、おれはたしかに、何人も人を殺してきた罪人だ！　だからって、おめえらにおれを殺す権利はねえぞ？」

アンジェロは、まるで自分に分があるとでも言いたげにまくしたてる。薄気味悪く笑いながら。

「もしおれを殺したらよぉ。おめえはおれと同じ、呪われた魂になるぜエッ！」

アンジェロが挑発しても、二人はまったく動じない。むしろあきれていた。

「おれはだれも殺さねえよ。だれももう、おめえを死刑にしない。おれも、この承太郎さんも、日本の法律も……もうおめえを死刑にすることはない。刑務所にはいることもない」

「仗助。あとはおまえに任せた」

妙に落ち着いている二人を見て、あせったのはアンジェロのほうだ。

「お、おい……いったいなにをする気だ!?」

仗助はアンジェロに近づくと、力をこめてさけんだ。

「クレイジー・ダイヤモンド！」

仗助に重なるようにあらわれた《クレイジー・ダイヤモンド》が、拳を突きだし、アンジェロの体を連打する。

『ドララララララララララァーッ』

「やめろ、やめてくれぇぇぇ！」

拳が幾度となく激しくおそいかかる。そのたびに、アンジェロの体は大岩にぶつかり、めりこんでいった。

「永遠に供養しろ！　アンジェロ！　おれのじいちゃんもふくめて、てめえが殺した人間のな！」

めりこんだアンジェロの体は、もはや大岩と一体化しはじめていた。

「あああああああ！」

耳をつんざくさけびを残して、アンジェロはついに岩に埋めこまれ、岩ごと砕けちった。

がしかし、一度飛びちったはずの岩の破片が、ふたたび集まりはじめる。

《クレイジー・ダイヤモンド》が、破片をまた岩の形にもどしたのだ。

大岩は、ほぼ元どおりになった。

岩の表面には、二メートルほどの間隔で、ぽつんぽつんと目玉らしきものの跡が新しくできていた。

けれど、この目玉を見て、岩に人間だった者が埋めこまれているとは、だれも思わないだろう。

「岩と一体化して、この町のこの場所で、永久に生きるんだな」

そう言いながら、仗助の心は、怒りとやりきれなさでいっぱいだった。

こんなことをしても、死んだ良平は二度と帰ってこないのだ。

心の痛みをふりきるように、仗助は歩きだす。その背中を、承太郎は見守った。

承太郎は、アンジェロの言葉を思いだしていた。

——この町にはもっとヤバいヤツがいるぜ。

杜王町がさらなる危険に巻きこまれることは、もはや避けられないようだ。

7 矢とスタンド使い

アンジェロとの激しい戦闘から一夜明け、翌日。

仗助の心は、まだ悲しみととまどいでいっぱいだった。

アンジェロや自分自身が持っている《スタンド》という能力についても、よく理解できていなかった。子どものころからこの力が使えたせいか、あまり疑問にも思わなかったのだ。

仗助と承太郎は、ゆっくり話せる場所をもとめて海辺へ行った。

「承太郎さん。スタンドについて教えてください」

仗助が聞くと、承太郎は遠く海を見つめたままこたえる。

「スタンドとは、生命エネルギーがつくりだすパワーあるヴィジョン。〝そばにあらわれ立つ〟ことからそう呼ばれている」

たしかに、あのヒトに似た影は、まるで守護霊のように仗助にそっとよりそってあらわれ、立っている。

「だからスタンドなのか……」

承太郎は、仗助を見てうなずいた。

「ああ。それが見えるのは、スタンドを使う者だけだ。そして、スタンドが傷つくときは本体も傷つく」

そうか、だからあのとき、仗助の唇は切れたのだ。

仗助が承太郎とはじめて会ったとき、承太郎の《スタープラチナ》は仗助の《クレイジー・ダイヤモンド》を攻撃した。それによってダメージを受けたのは《クレイジー・ダイヤモンド》のはずだが、仗助の唇にも傷ができたのだ。

アンジェロのときもそうだ。

仗助が《アクア・ネックレス》を閉じこめた手袋をふりまわすと、アンジェロの体が空中へ舞いあがり、落下した。

本体となる人間とスタンドは、一心同体ということだ。

「はじめて見えたのはいつだ？」

承太郎が問いかける。

「四歳のときに病気で死にかけて、そのときからです」

「……十三年前か」

承太郎にスタンド能力が発現したのは、高校生のときだった。

とつぜん自分の横にあらわれた戦士風の男におどろき、「悪霊に取りつかれてしまった」と思った。

仗助の場合は四歳だから、もっと幼いころからスタンドといっしょにいたことになる。

だから、スタンドについてあまり疑問を持たなかったのかもしれない。

自分のそばに奇妙な影があらわれるのは、仗助にとって当たり前のことだったのだ。

「スタンド使いには二つの種類がある。生まれながらにして、その資質が備わり、自然に能力を開花させる先天的な使い手。外的な要因によって、その能力を獲得する後天的な使い手」

仗助が理解しているのを確認して、承太郎はつづけた。

「おまえやおれは前者。矢を刺されたアンジェロは後者」

「おれは先天的？」

「そうだ。それがジョースター家の血、つまりおまえの運命だ」

仗助はとまどっていた。

数日前にいきなりジョースター家の血を引くことを知ったばかりだ。そのうえ、自分と同じスタンド使いに、良平を殺されてしまったのだ。

とまどうのも当然だった。

承太郎は、ポケットから写真を一枚取りだし、仗助にわたした。

そこには、アンジェロの顔がはっきりと写っていた。

「ジョセフが念写した。それがおまえの親父のスタンド能力さ」

仗助の父、ジョセフ・ジョースターのスタンド《ハーミット・パープル》は、カメラやテレビ、紙などにイメージを念写する力があった。

《ハーミット・パープル》の姿は、《スタープラチナ》や《アクア・ネックレス》とちがい、ヒトや人形のような形はしていない。トゲのついたイバラのような形で、それがジョセフの手から数本飛びだす。

そのイバラをジョセフは自由にあやつる。カメラに接触させて念写をするだけでなく、敵に打ちつけて攻撃することもできた。

スタンドにはいろいろな形があり、能力もさまざまなのだ。

「最初は十日前だ。ジョセフの夢の中におまえの母親があらわれた。それで気になって無事をたしかめていて、おまえの存在を知った」

仗助は、無言でアンジェロの写真に見入った。

「鮮明に写っているのは、この町に危機がせまっていることを示している証だ。まだこの町には凶悪なスタンド使いがいる」

アンジェロも同じことを言っていた。

もっとヤバいヤツがいる、と。

「仗助。そいつらはきっとおまえに関わってくる」

「どうしてです？」

「スタンド使いとスタンド使いは、引かれあう」

アンジェロは「矢に刺されて」スタンド能力を獲得したと言った。

ということは、これからも矢に刺された人間がつぎつぎとスタンド使いになるはずだ。

そしてそいつらは、つぎつぎと仗助たちにおそいかかってくるかもしれなかった。

弓矢を持つ男がいるかぎりは、同じことがくりかえされる――。

仗助は、目の前に広がる海をにらんだ。

海は静かに波を運んでいる。

こんなに美しい杜王町に、危機がせまっているのだ。

仗助はぐっと奥歯をかんだ。

もう二度と、良平たちのような犠牲者を出すわけにはいかなかった。


住宅街をはなれ、雑木林を抜けた先に、一軒の古くて大きな洋館があった。

庭は広いが、雑草だらけで荒れ放題。

しかし、もとは裕福な家だったのだろう。庭の中央には池があり、ところどころに派手な石像や芸術的なオブジェが立っていた。

建物の窓は割れている。人の気配が感じられない。まるで幽霊屋敷。

ドアのわきには、『立入禁止』と書いたプレートが立てられている。

洋館の内部には部屋がたくさんあるものの、床や窓枠はどこもホコリにまみれ、あちこちにクモの巣がかかっていた。

そんな中に、古ぼけた家具や壊れたピアノが、捨てられたように置いてある。

ここは虹村兄弟の家だった。


アンジェロが敗れた夜のことだ。

形兆は、この洋館のひと部屋にたたずんでいた。

髪型や服装は、すきなく整えられていた。彼の几帳面さは、月明かりの中でもわかるほどだ。

形兆の立つ真上は屋根裏部屋だった。

そこから、ガリガリ、ガリガリ、となにかをひきずるような音がひびいている。

形兆は天井を見あげた。彼にとってそれは、あまり聞きたくない音だった。

顔をゆがめたそのとき、弟の億泰がはいってきた。

「兄貴、どうかしたのか？」

億泰は、図体が大きく、「×」を描いたようなシワのついた恐ろしい顔をしている。性格は素直で感情的な男だった。几帳面で慎重な性格の形兆とはちがい、すぐにカッとなったり泣いたりする。

形兆には半人前のようにあつかわれているが、億泰は兄のことをとても信頼していた。

「アンジェロが倒された」

兄の言葉を聞いて、億泰はおどろいた。

「へえ。だれにだよ」

「東方仗助。おれの知らないスタンド使いだ」

「知らないって、兄貴の矢でスタンド使いになったんじゃあねえってことなのか？」

だとしたら、そいつはどうやってスタンド使いになったんだろう、と億泰は思った。しかし、あまり頭の良くない億泰は、考えてもわからないことは深く考えない。

大事なのは、その敵が強いかどうかだ。

「強いのか、そいつは？」

「おれたちのほうが強い」

そのこたえを聞いて、億泰は安心した。兄貴が言うならまちがいない。おれたちのほうが強いのだ。

「そうだよな。当たり前だよな。兄貴」

億泰はうれしそうにうなずいて、形兆のそばに腰をおろした。

自分たち兄弟は最強だ。負けるわけがない。


葬儀の日は、よく晴れていた。

墓地にでかける前、仗助はもう一度良平の部屋を見たくなり、二階へ上がった。

床に転がる鉄アレイを持ちあげてみると、悲しさがこみあげてきた。

ふと見ると、本棚にスクラップブックがずらっとならんでいる。

一冊を引きぬいて開いてみる。最初のページには、「杉本一家惨殺事件」の記事がスクラップされていた。

それは、十六年前に杜王町で起きた凶悪事件だった。両親と一人娘の女子高生が無残に殺された事件だ。ペットの犬までも道連れになった。

恐ろしいことに、犯人はまだつかまっていない。

「仗助。そろそろ時間よ」

呼ばれてふりかえると、喪服を着た朋子が部屋にはいってくるところだった。

「ああ。わかってる」

朋子は、仗助が開いていたスクラップブックをのぞきこむ。

「……十六年前の、あの事件ね。お父さんがいちばん後悔していた事件。この犯人だけは、自分が絶対につかまえるっていつも言っていたわ」

仗助もその事件については知っている。杜王町で暮らす人間なら、知らない者はいなかった。

「殺された女子高生はとても明るい子で、会えばいつもあいさつをしてくれたそうよ。それがお父さんの励みになっていたって……」

朋子はふと思いだし、机の引き出しを開ける。

そこに大切にしまわれていたのは、こわれた腕時計だ。警察署から贈られたもので、文字盤のうらにはこう刻印されている。

『贈　勤続二十年　杜王警察署』

「これは、勤続二十年目にお父さんに贈られた、記念の時計よ。だけど、あの事件のとき、お父さんはこれを壁にたたきつけて言ったの。〝おれは警察官失格だ。あの子を守れなかった〟って」

仗助にとっては、はじめて耳にする話だった。

良平がいつも杜王町とそこに住む人々の安全を気にかけていたのは、こんな苦い後悔があったからだったのだ。

「あの日からずっと、お父さんは出世も望まず、この町を守ることだけを必死で考えていたわ」

朋子と仗助は、腕時計をじっと見つめた。

「仗助。お父さんは最後の最後まで警察官だった。あの人は私たちの誇りよ」

「ああ。そうだな」


そのあと、仗助たちは墓地へむかった。

朋子は胸に良平の遺影を抱いている。

東方家の墓のまわりには、親戚や同僚だった警察官などが集まった。

参列者の中には、康一や、とりまきの一年女子三人組の姿もある。

みんな、良平の死を悼んでいた。ただ承太郎だけは、東方家に遠慮して葬儀にはあらわれなかった。

仗助と朋子は、ゆっくりと墓前に近づき、花を捧げて手を合わせた。
しかしそのとき。
「…………!!」
強い視線を感じて、仗助は息をのんだ。
何者かがこっちを見ている。しかも、悪意をこめて——。
はっとふりかえり、墓地のむこうに広がる雑木林に目をむけた。
木陰に黒い服を身にまとった男が立ち、静かに仗助を見つめている。
虹村形兆。
仗助はまだ彼の名前を知らない。だが、この男が敵であることは、すぐにわかった。
「…………」
無言で見つめていると、男は背中をむけて歩き去った。
仗助は、合掌し終えた朋子といっしょに立ちあがった。

参列者がつぎつぎ墓前へ進む中、仗助は一人、その場をはなれた。
形兆を追うために。

ザッザッザッザッ……。
小枝や雑草を踏みならして、仗助は雑木林を歩いた。
はるか先に、形兆の黒いうしろ姿が見えている。
ところが、しばらくすると見失ってしまった。
仗助はあわててかけだし、あたりを見まわす。
数メートル先に、林を抜ける小道があった。
走って小道を進むと、林のむこうにあったのは、古びた洋館だった。
建物の窓は割れたり板が打ちつけられたりしている。

ドアのそばには『立入禁止』と書いたプレートが立っているし、人が住んでいる様子はなく、まるで幽霊屋敷のようだった。

仗助が様子をうかがっていると、うしろから康一の声がした。

「仗助くん！」

ふりかえると、康一が心配そうな顔をして走ってくるのが見える。

「康一か。おまえは帰れ」

「いいよ。仗助くんも帰るならね。とちゅうで急にいなくなったからさ、みんなも心配してたよ」

康一は息をととのえ、洋館を見あげた。

建物は立派だが、すごく不気味な雰囲気だ。

「なに？　この家になにがあるのさ——」

するとつぜん、学ラン姿の大男がぬっとあらわれた。

康一はその男に見覚えがあった。いつだったか、登校する途中に見かけた、顔に「×」

を描いたようなシワがある高校生だ。

いっぽう、億泰はなにも覚えていなかった。

いきなり康一を蹴りつけて、倒れたところを思いきり踏んだ。

8 虹村兄弟

「うほげげっ！」

踏まれた康一は、苦しさのあまりうめいた。顔がカッと熱くなり、涙が出てくる。

「てめえ！　ヒトの家を勝手にのぞいてんじゃあねえぞ！」

億泰はそうどなり、康一を踏む足に、さらに力をこめた。

異変に気づいた仗助が門の中へ飛びこむ。

「おい！　なにしてんだ、てめーッ！」

康一の顔は青くなりはじめていた。はやくなんとかしないと、命があぶない。

億泰は、むすっとした顔で仗助をにらんだ。

「おまえら泥棒だろ？　泥棒なら殺したってかまわねえ」

「いいからその足をはなせ。はやくはなさねーと怒るぜ」

仗助はにらみかえした。しかし億泰は足をはなさない。

と、そのときだった。

どこかから飛んできた矢が、康一の胸に突き刺さったのだ。

「ぐえッ！」

「康一－！」

康一にかけよる仗助をさえぎり、億泰が二階を見あげる。

「兄貴……⁉」

仗助も見あげる。兄貴だと？

洋館の二階のバルコニーに、黒い服を着た男が立っていた。

虹村形兆だった。

形兆は左手に弓を持ったまま、冷たい表情で仗助たちを見おろした。残酷なことをしているにもかかわらず、彼の仕草はどこか優雅だった。

「てめぇ……」

仗助は形兆をにらみ、康一の体を確認した。

康一は苦しそうに血を吐いて、手足を震わせている。

けれど、まだ息がある。仗助の《クレイジー・ダイヤモンド》の力があれば、助けることができる。

億泰は、どうやら事態をよく飲みこめていないようだった。形兆を見あげて、不思議そうな顔をする。

形兆がニヤリと笑う。

「なぜ矢で射ぬいたか、聞きたいのか？　そっちのヤツが東方仗助だからだ。アンジェロを倒した、かなり邪魔なスタンド使いだ……」

それを聞いて、仗助の怒りは爆発した。

自分といっしょにいたせいで、康一は矢で射られてしまったのだ。

しかも、この兄弟もスタンド使いのようだ。

アンジェロをスタンド使いにした男は、二階にいるあいつ……。

まちがいない。

「血を吐いたか。こりゃあだめだな。ひょっとしたらこいつもスタンド使いになって利用できると思ったが……」

「ふざけんなッ！」

仗助は康一を助けようと、矢の刺さった胸に手をのばした。

しかし、億泰が邪魔にはいった。

「おまえはこの虹村億泰の《ザ・ハンド》が消す！」

億泰がそうさけぶと青いオーラが立ちのぼり、背後にすっとなにかがあらわれた。スタンドだ。

スタンド《ザ・ハンド》は、鋼鉄板でおおわれたヒト型のスタンドだった。

肩の装甲からはとがったスパイクがつきだし、胸と手の甲には、「￥」「＄」のマークが刻まれていた。

仗助の背後にも《クレイジー・ダイヤモンド》があらわれる。

「邪魔すると、マジに顔をゆがめてやるぜ……」

仗助が言うと、二階から形兆の声が飛んできた。

「億泰。スタンドってのは車やバイクと同じだ。みみっちい運転はするんじゃねえ」

「ああ。わかってるよ、兄貴」

億泰はすこし不満げにこたえる。形兆に見くびられたようで、いらだった。

ここは確実に仗助を倒しておかなければならない。

億泰は、仗助にむかって一気に突進していった。

《ザ・ハンド》も《クレイジー・ダイヤモンド》に突進していく。

拳を先に突きだしたのは《クレイジー・ダイヤモンド》だった。

拳は《ザ・ハンド》を直撃し、億泰の体がふっとんだ。

口の中を切った億泰は、げふっと血を吐いて、仗助をにらむ。

「ほおっ。なかなかすばやいじゃあねえか」

流血はしたものの、ほとんどダメージは受けていなかった。


億泰が右手を突きあげる。

《ザ・ハンド》も右手を突きあげる。


その迷いのない動きを見て、仗助ははっと気づいた。

億泰は、この右手に異常な自信を持っている。

この右手になにかがあるはずだ。

直感だが、なにかやばい！

億泰と《ザ・ハンド》の右手が、なにかをつかむような形でふりおろされる。

その手首を、《クレイジー・ダイヤモンド》が押さえた。

「てめえ。右手をはなせや」

「やっぱりやべえのか。その右手」

思ったとおりだ。このスタンドは、右手に秘密がある。しかしどんな秘密が？

仗助は、それを考えるほうに気を取られてしまった。

一瞬、無防備になった《クレイジー・ダイヤモンド》に、《ザ・ハンド》がひざ蹴りをいれる。

仗助は「うぐぅ……」とうめいて体を折った。

《クレイジー・ダイヤモンド》は、《ザ・ハンド》の手首をはなしてしまう。

すると、チャンスとばかりに《ザ・ハンド》が、右手をガオン！　とふりおろす。

『立入禁止』のプレートの前に立っていた仗助は、とっさによけ、億泰の背後に逃げた。

「てめえ、逃げてんじゃあねえ！」

億泰がどなる。

仗助は、ここでもたもたするわけにはいかなかった。康一はいま、ひん死の状態だ。はやく助けなければ命を落としてしまう。

ふとプレートを見る。

仗助は思わず息をのんだ。


「〝入〟の字がねえ……」


『立入禁止』のプレートから『入』の文字が消えていたのだ。

しかも、プレート自体がすこし短くなっている。

まるで、そこだけ切りとってふたたびくっつけたように。

「そうか……けずりとったのか、空間を！」

おそらく《ザ・ハンド》の右手は、山肌をけずるショベルカーのアームのようなものなのだ。ふりおろした手のひらで、空間をけずっているのだった。

「そうさ。この右手はつかんだものすべてをけずりとる！　切断面は元の状態だったときのように閉じる！」

億泰は、得意げにスタンドの能力について説明をつづけている。

仗助と億泰は、むかいあわせに立っていた。

その距離は五メートルほど。

「けずりとった部分がどこへ行っちまうかは、おれにもわからねえがな。そして、空間をこうやってけずりとると……」

億泰が、右手をふりおろす。

同じく《ザ・ハンド》も右手をふりおろす。

つぎの瞬間、仗助と《クレイジー・ダイヤモンド》は、億泰と《ザ・ハンド》の目の前に引きよせられた。


「ほらよ、瞬間移動だ」

億泰はハッハと笑い、仗助を蹴りたおした。

「これがあるかぎり、てめえはおれから逃げられねえ」

倒れた仗助は、立ちあがりざまに、自分の背後にある石像をちらりと見た。そして、わざと苦しそうに顔をゆがめて身がまえる。

「自慢話はまだつづくのか」

「これで最後だ。つぎはてめえごと、けずりとる！」

そう言うと、億泰は思いきりジャンプした。

億泰と《ザ・ハンド》が派手に右手をふりおろす。

と同時に、仗助はすばやくその場から逃げた。

けずりとられたのは、仗助がいない空間。つまり――


ドゴッ！


石像が瞬間移動してきて、億泰を直撃した。

「ブゲ！」

億泰は妙な声をあげてその場に倒れた。

「バカで助かったぜ」

仗助は、気絶した億泰を見おろしてつぶやく。

しかし、ここで気をぬいている場合ではなかった。

康一を助けなければ！

さっきまで康一が倒れていた場所に視線をむける。

ところが、そこに康一はいなかった。

引きずられた血の跡だけを残し、消えていたのだ。

「康一！　どこだ！」

仗助は、血の跡をたどって、洋館の中へはいっていった。


玄関のドアの先は、吹き抜けの広いホールだった。

窓が板でふさがれているせいで、あたりは暗い。わずかな板のすきまから光がさしているが、照明はついていない。

ホールの奥の中央には二階へ続く階段があり、仗助は血の跡をたどり二階へ上がる。

広間にはいると、形兆が立っていた。前に横たわっているのは、康一だ。

形兆は、康一の胸から矢を引きぬこうとしていた。そんなことをしたら、ひどい出血で康一は死んでしまう。

「……てめえ。いいかげんにしろよ」

仗助が言うと、形兆は平然としてこたえる。

「この矢は大切なもので、一本しかない。回収しないとな」

「おい！　そいつをぬくな！」

「ぬくさ。おれは几帳面な性格でね。おまえは一枚のCDを聞きおわったら、キチッとケースにしまってから、つぎのCDを聞くだろう？」

形兆は両手をパタリと合わせ、CDをしまうようなジェスチャーをすると、満足そうにほほえんだ。

「だれだってそうする。おれもそうする」

形兆は康一の胸に突き立っている矢をにぎり、一気に引きぬいた。

「うっ……！」

康一はゲホゲホとせきこみ、口から血しぶきが飛んだ。

「てめえ!!」

と、仗助は怒りのあまりさけんだ。

「こいつは選ばれなかった。無意味な出会いだ」

「ふざけんじゃねえ」

仗助は間合いを見計らいながら、すこしずつ形兆に近づいた。

さっきからひと思いに攻撃できないのは、形兆の背後が気になっているからだった。

なにか得体の知れないスタンドがひそんでいる。

気配はするが、暗いせいで姿が見えない。能力も不明だ。

形兆が立ちあがり、仗助へねらいを定める。

しかしそのとき、億泰がドアからかけこんできた。

「兄貴！　そいつへの攻撃は待ってくれ！　おれとこいつの勝負はまだだ！」

「攻撃？」

仗助は思った。攻撃だと？

相手のスタンドはまだ見えない。それなのに、どうやって攻撃をしてくるというのだ。

《アクア・ネックレス》のような遠隔タイプなのか？

つぎの瞬間、仗助ははっきりと気配を感じた。音も聞こえる。

パタパタパタパタパタ——

なにか来るッ！

とっさに仗助は身をかわす。

すると、億泰が「くあっ！」とうめいて倒れた。

見ると、顔の左半分にプツプツと無数の小さな傷ができ、血が流れている。巨大な剣山で顔をたたかれたようにも見える。それぞれの傷は小さいが、なにせ数が多い。ダメージは大きいはずだ。

しかし、スタンドの姿はまだ見えなかった。

いったいどこに隠れているというのだ……。

形兆は、顔を血だらけにして倒れている億泰を、冷たい目で見おろした。

「どこまでもバカな弟だ……。のこのこと攻撃の軌道にはいるとは」

「兄貴……ごめんよ……」

億泰が弱々しくあやまる。

「無能なヤツは人の足をひっぱる。ガキのころからくりかえし、くりかえし言ってきたよな？」

形兆は億泰のことなどまったく気にかけていない様子だ。

姿を見せないスタンドを使って、仗助を攻撃する。

パタパタパタパタ――

ピシピシピシピシ――

仗助がよけると、壁際にあったつぼに無数の穴が空き、ガシャンと割れた。

いったいどこからどんな攻撃をしているのか、見当がつかない。

ときおり暗闇の奥がチカチカと光る。

暗闇にいるなにかが攻撃しているのはたしかだ。

攻撃は一方向からだけではなかった。

床に倒れている億泰は、逃げることができないまま、体じゅうに攻撃を受けていた。

「やめろ。てめえの弟だろうが」

「そいつにはもう愛想が尽きた。なんの役にも立たない」

形兆は眉ひとつ動かさず、冷酷に言い捨てる。

仗助がなにを言っても、攻撃をやめる気はないようだ。

「くそッ!」

仗助は億泰のえり元をガシッとつかむと、広間からひきずりだした。

図体の大きい億泰は思うように動かない。もたもたしている間に、仗助も攻撃を受け、手にプツプツと傷をつくってしまった。

いったいなにに攻撃されたら、こんな傷がつくのだろう……。

痛みをこらえ、仗助はなんとか億泰をひきずり、一階へおりた。

立ちあがれず横たわったままの億泰を、仗助はのぞきこむ。

「おい。おまえの兄貴の、あれはなんだ。どんな能力だ」

「…………」

億泰は、痛みに身を震わせた。

傷をつくったのは兄・形兆のスタンドだ。それでも億泰は、兄をうらぎるようなことを絶対に言いたくなかった。形兆の足手まといにはなりたくないのだ。

「言えよ。言えば、その傷、なおしてやるぜ」

「……だれが言う……もんかよ……兄貴だぞ……」

声をしぼりだし、仗助をののしる。

「やっぱりな。言わねえか。言うとは思わなかったよ、最初から」

「……あったりめえだろう……」

「それじゃあ、しょうがねえな」

そう言った仗助の背後に、《クレイジー・ダイヤモンド》があらわれた。

それを見た億泰は、「やられる！」と思った。もう体を動かせなかった。もう《ザ・ハンド》を発現させる力も残っていない。

もうだめだ。


覚悟を決めた億泰の顔を、《クレイジー・ダイヤモンド》の手のひらがおおった。

手のひらをあてられた場所が白くぼうっと光り、億泰の傷が、一瞬にして消えていく。

体じゅうの痛みも消えた。

おどろいた億泰はガバッと起きあがり、自分の体をベタベタ触ってたしかめた。やはりなおっている。

「なんだ……痛くねえぞ？　傷もなおってる」

おどろく億泰に仗助は背中をむけ、階段をのぼりはじめた。

見ると、仗助の左腕の傷からはまだ血が流れていた。力がはいらないらしく、腕はぶらんとたれさがっている。足もひきずり、階段を数段のぼるたびによろけている。

億泰は思った。あいつはおれの傷をなおしたのに、どうして自分の傷をなおさないんだ？

「おい、待てよ。なぜおれの傷をなおした？」

「うるせえな。あとにしろ」

仗助には億泰のことなどかまっているひまはなかった。

どうやって康一を助けだそうかと、そのことで頭がいっぱいだったのだ。億泰のことは放っておいて、形兆のいる広間へもどりたかった。

ところが、億泰はしつこく食いさがる。

「おれはテメーの敵だぞ？　助けたって、おれはまたテメーを攻撃するんだぞ？」

億泰は、よくわからなかったのだ。

東方仗助は、自分たち兄弟の敵のはずだ。兄の形兆がそう言っていた。それなのに。

こんなヤツ、おれはいままで会ったことがねえ……。億泰はそう思った。

仗助がふりかえる。

「……ふかい理由なんてねえよ。なにも死ぬこたねえ。そう思っただけだよ」

そう言って、仗助はいまにも倒れそうになりながら階段をのぼった。

はやく広間へもどって康一を助けなければと、気ばかりあせる。

ところが、なおも億泰が追ってきた。

「待て、仗助！」

「なんだよ。まだ邪魔をする気かよ」

億泰は、仗助の手の傷を見つめた。

「なんでだ……なんでおまえ、その手の傷を自分のスタンドでなおさねえ」

「おれのスタンドは、自分の傷はなおせねえんだ」

億泰がはっとおどろく。

「そしてなにより、死んだ人間はどうしようもねえ」

「…………」

無言で立ちつくす億泰を、仗助はにらんだ。

「だから言っとくぞ、億泰。もし康一が死んだら、おれはてめーの兄貴になにすっかわかんねーからな」

すごまれてなにも言いかえせない億泰を残し、仗助は二階へあがっていった。


広間のドアから中をのぞくと、形兆の姿が消えていた。

暗い部屋の奥に、康一だけが横たわっていた。息はしているが、もうあまり時間が残されていないことはたしかだ。

だが、部屋の中は、なにかの気配がしている。

これはワナだ。

康一に近よったら、どこかから攻撃をしかけてくる気なのだろう。

だとしても、行くしかない。康一にはもう、一秒たりとも時間がない。

仗助が足を踏みだそうとした、そのとき。
億泰と《ザ・ハンド》が、背後からせまってきた。

9 バッド・カンパニー

「億泰、てめえ！」

仗助がさけぶと同時に、《ザ・ハンド》の右手がふりおろされる。

ガシッ！

その瞬間、仗助と康一の間にあったテーブルが消え、康一がドアの外まで瞬間移動してきた。

《ザ・ハンド》は、仗助と康一の間にある空間をけずりとったのだった。

「康一ッ！」

目の前に移動してきた康一の胸に、仗助がすばやく手をかざす。

同時に《クレイジー・ダイヤモンド》の手が康一にかざされる。

その様子を、億泰はじっと見つめた。

白い光に包まれた康一の傷は、見る見るなおっていく。

「おれはバカだからよぉ……心の中に思ったことだけをする……。一回だけだ、一回だけ借りを返すッ！　あとはもうなにもしねえ。これで終わりだ」

億泰はそう言うと、くるりと背をむけた。

仗助はほっとして、康一にかざしていた手をおろした。

そして、遠ざかっていく億泰にむかい、すこしだけほほえむ。

「グレートだぜ、億泰」

やがて康一が目を開けた。

「あっ、仗助くん。……あれ……どうして？」

康一は、矢で射ぬかれたところから記憶がないようだ。

あたりを見まわし、不思議そうな顔をしている。

「康一、出るぞ」

仗助は、とまどっている康一をひっぱりあげ、その場をはなれようとした。

その直後だった。

バタバタバタバタバタ——

天井の暗闇の中から、奇妙な音が聞こえてきた。まるでヘリコプターが飛んでいるような音だ。

仗助たちは廊下の天井を見あげた。

バサッ、バサッ、バサッ。

暗闇の中で音がし、あちこちからなにかが落ちてくる。

落下してきたのは、パラシュートをつけた兵士たちだった。

しかし、彼らの身長は十センチほど。ミニチュア人形のようなパラシュート部隊だ。

「ん？　なんだ？」

ぎょっとした仗助の前に、こんどは三機の輸送ヘリコプターがあらわれた。機体の全長は一メートル程度だが、とても模型には見えない精巧さと動きだった。

輸送ヘリは広間のすみでホバリングすると、キャビンからするすると一本のロープをおろす。ファストロープだ。

ロープの先端が床に着いたとたん、小さな兵士がつぎつぎと滑りおりてくる。

いっぽう、パラシュート部隊の数も増えていた。どうやら天井のどこかに兵士たちが潜んでいるらしい。

バサッ、バサッ、バサッとパラシュートの開く音があちこちで聞こえていた。

まちがいない。これが億泰の兄のスタンドだ。ミニチュアの軍隊なのだ。

「康一、はなれるな」

スタンドが見えない康一には、ヘリも兵士も見えていないはずだ。

仗助は康一をかばい、周囲を注意ぶかく見まわした。

と、そのとき、仗助たちを追いこむように、機体のまるいヘリコプターが四機、滑空してきた。

そのヘリコプターの機体から兵士たちが身を乗りだし、機関銃で仗助を威嚇攻撃する。

「いっ……痛え！」

仗助の頬にプツプツと穴が空き、血が流れた。

いままで受けた傷は、兵士の機関銃攻撃がつくったものだったのだ。

傷は小さくても、破壊力は本物だ。


やがてヘリコプターは床へ着陸し、兵士たちが四方八方へと飛びだしていった。

中には対戦車火器を背負って移動する兵士もいる。

すべてがミニチュアサイズだが、装備も動きも、まさしく前線へおもむく軍隊そのものだった。

しかも、よく訓練され、実戦慣れした軍隊だ。
兵士たちが暗闇の中に身を潜め、仗助の視界から消えた。
あたりがしんと静まる。
つぎの瞬間、

タタタタタタタ!!
ババババババババ!!

一斉攻撃がはじまった。
気づけば、いたるところに兵士がいて、仗助たちを攻撃している。
危機を感じた仗助が《クレイジー・ダイヤモンド》を発動させる。
『ドラララララララララァ!!』

《クレイジー・ダイヤモンド》は拳を連打して対抗した。

しかし、たたきつぶせた兵士はたったの三人。一人ひとりが小さいうえに、すばしっこく移動するため、ヒット率が悪い。

しかも、数人倒しただけでは形兆自身にはダメージは与えられないようだ。

「かくれてろ、康一!」

「うん!」

広間のすみに壊れた家具が積んである。康一は、そこへむかって走った。

家具の間に身をかくして、あたりの様子をうかがう。

しかし、

タタタタタタタ!!


銃声がひびく。《バッド・カンパニー》はしつこく攻撃をくわえてきた。

兵士たちは迷いのない動きであちこちへ散らばると、仗助に狙いを定めて、撃ちまくる。

タタタタタタ!!


仗助が身をかわす。床にプツプツと銃弾の跡がつき、破壊された床板が飛びちる。

まともにくらえば、足が吹っとぶほどの威力だ。

別の場所からは、対戦車火器をかついだ兵士に狙われ、あやういところでその攻撃をかわす。

部屋に火薬と油のにおいが充満していた。

この攻撃は、いったいいつまでつづくんだ!?

仗助が思ったそのとき、

バルバルバルバル——

プロペラの音とともに、武器を装備した攻撃用ヘリコプターが編隊を組んで旋回してきた。

機体は二十センチメートルほどだが、ヘリコプターに装備されているミサイルは、本来の大きさなら戦車を吹きとばすくらいの威力がある。

サイズが小さくなっているとはいえ、仗助たちに当たれば致命的なダメージを与えるはずだ。

「グレートだぜ……」

仗助はつぶやいた。あきれかえるほどの集中砲火だ。

攻撃用ヘリがミサイルを発射し、仗助がすばやく反応する。

『ドラララララララーッ!!』

被弾ギリギリのミサイルを《クレイジー・ダイヤモンド》で破壊した。

そのとき、康一はいやな気配を感じて広間の入り口に視線をむけた。

すると何両もの戦車がキャタピラをうならせながら、進入してくるのが見えた。

康一がさけぶ。

「あっ！　戦車も来てる！」

「マジか！　戦車まで――」

そこまで言い、仗助ははっとして康一を見つめた。

「おい、康一。いまなんて言った？」

「…………」

康一も目を見開いて顔をこわばらせる。

「見えるのか、このスタンドが⁉」

「……うん」

いまや康一の目には、ミニチュア軍隊が見えるようになっていた。

形兆の矢で射ぬかれ、スタンドの力が目覚めたのだった。

10 康一の覚醒

しかし、ゆっくりおどろいている時間はなかった。

二人は、思わず立ちすくむ。

広間の入り口から、ミニチュア兵士の大軍がなだれこんできたのだ。

歩兵の数は、ざっと二百。

その上を、攻撃用ヘリ八機がプロペラ音をひびかせながらホバリングしている。

とどめは、規則正しくズラリとならんだ数十両の戦車。

軍隊は入り口を背にして扇形に整列し、いったん攻撃の手をとめる。

開け放たれたドアから、虹村形兆が悠然とはいってきた。

「てめえ……」

仗助がそうつぶやくと、形兆はほほえんだ。

「どうだ。わが虹村形兆のスタンド、《バッド・カンパニー》の美しいかまえは。鉄壁の守り、いかなる攻撃や侵入者だろうと、生きては帰さない」

形兆が康一に目をむける。

「おまえは選ばれたようだ」

「えっ？」

とまどっている康一に、仗助が説明する。

「康一。おまえはスタンド使いになったんだ」

「スタンド使い？」

「悪い。おれにもまだよくわからねえ」

康一がおどろくのも無理はない。

四歳のころからスタンドが使える仗助でも、まだよくわかっていないのだ。いま初めてスタンドを目にした康一がとまどうのは当然だった。

形兆が康一に言う。

「いいだろう。おまえの能力を見せてみろ」

「能力？」

震える声で康一がこたえる。

なにをどうしたらいいのか、形兆がなにをさせたいのか、康一にはさっぱり理解できなかった。

すると、足元でカサカサという気配がした。

「い……痛てっ！」

見おろすと、ナイフを持った兵士が一人、康一の足の甲を靴ごしにザクザク刺している。

「うあーッ!!」

康一が叫んだつぎの瞬間だった。

ドーーン!!


とつじょ空中に、巨大なタマゴのようなものが姿をあらわした。

直径五十センチはありそうな、下半分がまだら模様のタマゴ——どうやらこれが康一のスタンドのようだ。

タマゴがドスンと床に落ちる。

あまりのできごとに、康一は腰をぬかしてしまった。

「そうか。それがおまえのスタンドか……。さあ、おれを攻撃してみろ」

形兆が興味ぶかそうに命令する。

「そんなこと言われても……。無理だよ」

「スタンドを使うのは簡単だ。憎い相手をどうやって攻めるか……」

スタンドは、生命エネルギーがつくりだすパワーあるヴィジョン。

つまり、「自分の身を守りたい」だとか「あいつをこらしめてやりたい」と強く念じたときに、その思いが像となってあらわれるのだ。

形兆は、攻撃することによって、康一の強い念を引きだすことにしたのだった。

「部隊、総攻撃の態勢をとれ！」

形兆が右手をふりおろし、《バッド・カンパニー》の指揮をとる。

歩兵、ヘリコプター、戦車。

すべての戦力が康一たちをねらってじりじりと前進してきた。

仗助と康一が身がまえる。

「康一、スタンドを攻撃されると、おまえも死ぬぞ！　そいつをひっこめろ！」

「えっ？　どうやって⁉」

康一にわかるはずがない。スタンドなどというものを使ったのは、いまが初めてなのだ。

立ちすくむ康一たちをしり目に、形兆が冷たく言いはなった。

「攻撃開始！」

形兆が号令を出した瞬間、仗助のとなりに《クレイジー・ダイヤモンド》があらわれ、タマゴ型のスタンドを蹴りとばした。

スタンドの状態は、本体に影響する。康一の体も、タマゴとともに広間のすみに飛ばされた。

康一をかばった仗助は、軍隊の射程に一人取りのこされた。

形兆が《バッド・カンパニー》に命令を下す。

『最大火力をもって、目標、東方仗助をせん滅せよ！』

一斉攻撃がはじまった。

部屋じゅうに、耳をつんざくような銃声と爆発音がひびく。

『ドラララララーッ!!』

《クレイジー・ダイヤモンド》が銃弾や砲撃を撃ち返し、蹴散らすものの、軍隊の攻撃はどこまでも追ってきた。

逃げきれない仗助の手足に、ひとつまたひとつと傷が増えていく。

「やめろ……」

じっと様子を見つめていた康一が、たまらずにつぶやくと、形兆はニヤリと笑ってこたえた。

「残念だが、一度出した命令は修正できない。とどめだ」

攻撃用ヘリが二発のミサイルを発射し、《クレイジー・ダイヤモンド》の腕に命中させる。バゴンという激しい着弾音とともに、仗助は腕を押さえながら床に座りこんだ。

あたりが白い煙に包まれる。

「やめろ……やめろ……」

パニック状態の康一は、顔をこわばらせて、くりかえした。

すると、異変があらわれた。

康一のまわりに緑色のオーラが立ちのぼり、髪がブワッとさかだったのだ。

怒りが限界に達した康一は、ついにさけび声をあげた。

「やめろぉぉぉっ！」

その声に、タマゴが反応した。

メリリとひびがはいりはじめる。

そして、中から尻尾の生えた胎児のようなスタンドが生まれた。

胎児型のスタンドは、形兆にむかってパンチを繰りだすも、まったくとどかない。空中をひゅんひゅん空ぶりするばかりで、すぐに床に転げおちてしまった。

「それがおまえのスタンドか。やはりおれには必要ない」

冷たく吐き捨てると、形兆はふたたび康一に攻撃をかけようとした。

それを、仗助の声がさえぎる。

「康一、もう十分だぜ」

仗助は腕を押さえ、床の上に座りこんだままだ。すでに立ちあがる力も失ったように見える。

形兆が薄笑いを浮かべる。

「なんだ、あきらめの境地か？　見逃してほしいとでも言うのか？」

「…………」

じっと座ったまま、仗助は返事をしない。

「いいさ。我が《バッド・カンパニー》の攻撃は、予定どおり、これが最後だ。東方仗助」

形兆の動きに合わせていつでも攻撃ができるように、忠実な《バッド・カンパニー》が態勢を整える。

すべての銃口と砲口は、仗助にむいていた。

合図をすれば、仗助せん滅作戦は終了だ。

ところが、仗助は座って前を見据えたままだ。

そして静かに言った。

「ちがうね、虹村形兆。おれの作戦が終了したのさ」

「なにっ!?」

おどろく形兆の目の前で、なにかがシューッと空中に浮かびあがった。

さっき攻撃用ヘリが放ち、《クレイジー・ダイヤモンド》の腕に命中してくだけたミサイルだ。

「おれの《クレイジー・ダイヤモンド》は破壊したものをなおせる」

バラバラになっていた二発のミサイルは、またたく間に元の形にもどり、こんどは形兆に先端をむけた。

二発はいきおいをつけ、形兆をめがけて飛んでいく。

「おい、撃ち落とせ！　おれを守るんだ！」

あわてた形兆が命令を出すが、《バッド・カンパニー》の攻撃手順は、簡単に変えることができなかった。兵士たちはあちこちに銃口をむけ、どこを撃てばいいのか定まらずにとまどう。

形兆の几帳面さが裏目に出てしまったのだ。

「なぜミサイルを攻撃しない!?」

あせる形兆にむかって、仗助が言い放つ。

「一度出した命令は修正できないんだろ？」

二発のミサイルは、轟音を立てて形兆に命中し――。

爆煙が消えたときにはすでに、形兆は姿を消し、《バッド・カンパニー》もあとかたもなく消えていた。

形兆はおそらく傷を負ってこの場をはなれたのだろう。まだ近くにいるはずだ。

康一が目をまるくして仗助にたずねる。

「仗助くん。あれが仗助くんの……」

「ああ。おれのスタンドは《クレイジー・ダイヤモンド》。ヤツのミサイルを元どおりになおして、返してやっただけさ」

「……すごい」

康一は圧倒されていた。

「おまえのおかげだ。おまえが時間をかせいでくれた」

仗助がうれしそうに拳を突きだすと、康一も同じようにして拳をコツンと突きあわせた。

ほっとしたのもつかの間、天井の上からドアの閉まる音が聞こえてきた。上にも部屋があるようだ。

「康一、ヤツをさがすぞ。あの弓と矢をぶっこわす」

「うん！」

形兆の目的はわからないが、ヤツは弓と矢を使いスタンド使いを生みだそうとしている。

それだけではない。射られてそのまま死ぬ者だっているのだ。

なんとしても、あの弓と矢は破壊しなくてはいけなかった。
仗助と康一は、形兆を見つけるため、屋根裏に続く階段をのぼった。

11 隠された涙

階段をのぼると、すこしだけ開いたドアが目にはいった。屋根裏部屋だ。

ジャラッ、ジャラッ。

部屋の中から、不気味な音がひびく。

「仗助くん、なにか聞こえる」

「康一、おまえはここで待ってろ」

「ううん、ぼくが行くよ。仗助くんはケガしてるし」

康一は首をふって、ドアに近づく。

見かけによらず、けっこう勇気のあるヤツだ。仗助はふっと笑い、康一の背中を見守る。

それにしてもあの音はなんだろう、と思いながら、康一がドアのすきまからそっと中をのぞく。

つぎの瞬間、

「わっ！」

部屋の中から大きな手がのびてきて、康一の足首をわしづかみにした。

その手はただの手ではなかった。土色に変色して、腐ったようにふくれあがっている。

「あああっ！」

康一が足をぶんぶん動かして手をふりはらおうとしたが、ものすごい力でつかまれていてはなれない。そのまま一気に部屋の中へ引きずりこまれてしまった。

「康一！」

仗助はあわてて部屋へ飛びこみ、康一をつかんだなにかをぶん殴った。

そこにいたのは、体じゅうにイボの浮きでた奇怪な生き物だった。

体は土色でゴツゴツしている。

首輪からのびる鎖でつながれているのは、この部屋から逃げられないようにするためだろうか。服は着ているが、とても人間には見えなかった。


生き物はおびえてうめき、部屋のすみに逃げ、背中をまるめてうずくまった。

「なんだ！　こいつはスタンドじゃあねえ。マジだ、マジのバケモンだぜ！」

仗助が顔をゆがめると、屋根裏部屋の奥から声が聞こえてきた。

「バケモノなんかじゃあねえ……」

壁にはめられたステンドグラスの前に、形兆が座りこんでいた。

ミサイルの攻撃で深手を負い、ようやくここへ逃げてきたのだ。

その腕には、あの弓と矢を大事そうにかかえている。

「てめえ！」

仗助がにらみつけると、形兆は言った。

「そいつはおれたちの親父だ」

親父……このバケモノが⁉

おどろいた仗助と康一は、土色のバケモノに目をやる。

「そしてこの弓と矢は……親父のために必要なもの。おまえにわたすわけにはいかねえ」

「お父さん、なにかの病気なの？」

康一が、おそるおそるたずねる。

「親父はいたって健康だよ。ただなにもわからねえ。意味もなく生きているだけだ」

絶句する仗助たちにむかって、形兆はつづける。

「金に汚い、だれからも嫌われた、息子のおれたちにまで平気で暴力をふるう……。クズみたいな男さ。バチが当たったんだ。いまじゃ人間だってことも覚えてねえ」

バケモノと化した形兆の父が、のそのそと部屋の中をはいまわる。

床に置いてある大きな木箱を見つけると、それにのしかかった。ゴトンと大きな音を立てて、箱がひっくりかえる。

父親は箱に頭をつっこんで、ガラクタや紙くずを拾い集めはじめた。

「……親父さんをなおすスタンド使いをさがしてたってわけか」

仗助がそう言うと、形兆は皮肉っぽく笑った。

「なおす？　逆だ」

弓矢を抱く形兆の手に、ぽたりと涙が落ちる。

一度泣いてしまうと、涙はとめどなく流れた。

奥歯をギリギリとかみしめ、声をしぼりだす。

「親父は絶対に死なねえんだ。頭をつぶそうとも、体を木っ端みじんにしようとも……けずりとろうとも、絶対にな。このままじゃ永遠に生きていくしかねえ」

「そんな……」

と、康一はつぶやき、形兆の父を見つめる。

「一日じゅうあんなだ。来る日も来る日も、ムダにガラクタ箱をひっかきまわしているだけ」

形兆はおもむろに父親に近づくと、土色の体をなぐりつけた。倒れたところを蹴りあげ、どなりつける。

「ちらかすなって何度も教えただろうがぁ！」

父親は、キイィィと悲鳴をあげ、鎖を引きずりながら逃げた。

「やめろ！　おまえの父親だぞ！」

仗助がさけぶと、形兆は足をとめてふりむく。

「父親であっても父親じゃあねえ。おれたちのことも、死んだ母親のことも、なにもかも覚えてねえんだぞ」

逃げる父を、形兆はゆっくりと追った。

「このやりきれない気持ちっつーのが、おまえにわかるかい？　だからこそ、ふつうに死なせてやりてえ」

父親はまた木箱のそばにもどってきた。

箱の中に頭をつっこみ、紙くずを集める。

それをゴツゴツした手でつまむと、床の上にならべはじめた。

「ちくしょう、やめろっつってんだよ！」

怒った形兆は、父親を蹴りたおした。父親は、キィィィと苦しげにうめく。

「おい、そこまでにしとけ」

形兆をとめようと、仗助が近づく。

「来るな。弓と矢はわたさねえ」

「かんちがいするな。そんなもんはあとだ……。気になるのはこっちの箱だぁ！」

仗助がさけび、《クレイジー・ダイヤモンド》が拳を木箱にたたきつける。

木箱に穴が空き、木っ端と中にはいっていた紙くずが、周囲に飛びちった。

つぎの瞬間、ビデオを逆再生したように、箱が元どおりになる。

紙くずもくっつき、一枚の紙片になった。

それは、何年も前に虹村一家が撮影した、一枚の家族写真だった。

母親、父親、それから子どものころの億泰と形兆が、おだやかに笑っている。

バケモノになった父親は、この写真をつなぎあわせようとして、来る日も来る日も木箱をあさっていたのだ。

父親は、修復された写真を両手でつかみ、「おおおおおお……」とむせび泣いた。

「ほら、家族の写真だよ。お父さんは毎日毎日これをさがしていたんだよ」

康一が形兆にうったえる。

「覚えていたんだよ。ちゃんと心の中に、みんなの思い出が残っていたんだ」

「…………」

形兆は言葉もなく立ちつくす。

「手伝ってもいいぜ、虹村形兆。殺すスタンド使いより、なおすスタンド使いをさがすっつーんならな」

廊下では、億泰が声を押しころして泣いていた。

しばらく前にここへきた億泰は、部屋の外から形兆たちのやりとりをずっと見ていた。

できることなら、もう兄にあの弓矢を使ってほしくなかった。

部屋をのぞくと、仗助が形兆に手を差しだしている。

「さあ、そいつをわたしなよ。ぶち折っからよぉ！」

「ダメだ、わたさねえ」

形兆があとずさる。

いてもたってもいられなくなった億泰は、部屋の中へ飛びこんだ。

片すみでは、バケモノのような父が、写真を手にしたままうめいていた。

「兄貴、もうやめようぜ……」

ぎくりとして形兆がふりかえる。

「億泰……」

「親父だって、いつかなおるかもしれねえじゃあねえか」

そう言いながら、億泰は形兆に近づいていった。

「億泰っ！」

形兆がどなる。

「おれはなにがあろうと、あともどりすることはできねえんだよ。この弓と矢で、この町の人間を何人も殺しちまってんだからなぁ」

にらまれてたじろぐ億泰に、形兆はたたみかける。

「出会いとは重力。重力がすべてを引きよせた。その運命に逆らうつもりはない」

すると、仗助が言った。

「ちがうぜ。運命なんてもんは、こっちの思いでどうにでもなる」

「そうだよ、兄貴。やりなおそうぜ」

手を伸ばそうとする億泰を、形兆は冷たくつきはなした。

「おまえはもう、弟でもなんでもねえ」

その言葉を聞き、億泰は愕然とした。

兄だけが頼りなのだ。その兄に捨てられるのは耐えられなかった。

「兄貴……」


しかし、そのときだった。

ガシャン！

ステンドグラスが割れ、なにかが部屋へ飛びこんできた。

仗助たちはいっせいに反応し、身をかがめる。

足元を見ると、拳大のテントウ虫のようなものが、床をはいまわっていた。

キュルキュルキュルキュル――

スタンドだ。キャタピラを使って走り、ドクロに似た顔がついている。

虫のようなスタンドは、だれを攻撃しようかと品定めするように、体のむきを変える。

やがて億泰にむいて、ぴたりととまった。

スタンドが、億泰をめがけて宙を飛ぶ。

「億泰っ！　ボサッとしてんじゃねえぞ！　どけ!!」

形兆がさけび、億泰を突きとばす。

ドギュン！

スタンドは嫌な音を立てて、形兆の腹に食いこんだ。

「兄貴！」

あわててふりかえった億泰に、形兆はほほえむ。

「億泰……。おまえはよう、いつだっておれの足手まとい——」

そこまで言うと、とつぜん轟音がひびいた。

億泰をかばった形兆は、炎をあげて爆発した。

すべてが爆風とともに消えさると、謎のスタンドはステンドグラスの割れた部分から外へ飛びだしていった。

「あああああああっ！」

立ちこめる白煙にむかってかけだそうとする億泰を、仗助は腕をつかんで引きとめる。

「やめろ、億泰！」

煙がひくころには、爆発した場所にはなにも残っていなかった。

気が動転した億泰は、スタンドをさがそうと階段をかけおりる。

「てめえっ！」

本体のスタンド使いも、まだ近くにいるかもしれないのだ。

「億泰っ！」

仗助たちも、億泰を追って走る。

庭に出た。しかしだれもいない。

もはやどこにも、スタンドの気配は感じられない。

気がぬけたように立ちつくす億泰に、仗助と康一がそっと近づく。

「億泰……」

仗助が声をかけても、億泰は顔をあげなかった。

「兄貴はよう……ああなって当然の男だ。……まっとうに生きられるはずがねえ宿命だった」

億泰は必死に言葉をさがす。

「でもよ……。でも、兄貴は最後に……おれの兄貴は最後の最後に、おれをかばってくれたよなぁ？」

億泰がふりかえる。

人相の悪い顔が、あふれる涙でぬれていた。

「仗助……おまえも見てただろぉ？」

「ああ、たしかに見たよ」

「おお」

億泰が手のひらでまぶたをおおう。

それでも涙はとまることがなかった。


翌日、仗助は虹村兄弟とのできごとを、承太郎に報告した。

二人は海沿いの通りを歩く。

「そうか。そのスタンドは、虹村形兆の命をうばい、弓と矢も消し去ったのか」

仗助はうなずいた。

「はい。スタンド使いとスタンド使いは引かれあう。そいつはいつかかならずおれの前にもあらわれる」

「ああ」

仗助がいつまでもだまって歩きつづけるので、承太郎は心配になった。

「仗助、大丈夫か？」

仗助が立ちどまり、ふりかえる。

「承太郎さん。仗助の〝仗〟は守るという意味です」

その顔は、決意に満ちていた。

「人を守り、助ける。……じいちゃんがこの名前をおれにつけてくれました。三十五年間、出世もしないで、ずっと町の人たちを守りつづけてきた男です」

仗助は良平を思いだしていた。

朝、交番の前で「おはよう」とあいさつをする姿。

言うことをきかない仗助をしかる声。

朋子と仗助、三人で食事をするときの笑顔。

良平が大切にしてきたこの町を、邪悪な力が混乱させようとしている――。

「だからおれは決めました。おれはじいちゃんの思いを引きつぎます。おれがこの町を守りますよ。どんなことが起ころうと」

仗助は美しい杜王町の海を見つめた。

その腕には、良平の形見である腕時計が巻かれている。

勤続二十年の記念に、良平へ贈られた腕時計だ。

壊れてとまっていたが、《クレイジー・ダイヤモンド》が元へもどした。

良平の思いを宿した腕時計は、仗助の腕でふたたび時を刻みはじめていた。

エピローグ

ぼくは広瀬康一。
二週間前にこの杜王町にひっこしてきた、高校一年生。
学校へは毎日、自転車で通っている。十数分の道のりだ。

友だちもできた。
転校生のぼくに世話を焼いてくれる、クラスの女子もいる。
山岸由花子さんという、長い黒髪が印象的な人だ。

それから、特別な友だちができた。

東方仗助くんと、虹村億泰くん。

ぼくはこの二人と出会い、そして、二人と同じスタンド使いになった。

《スタンド》は、生命エネルギーがつくりだす、パワーあるヴィジョン。

ぼくはその力を、虹村形兆の矢に貫かれることで獲得した。

このスタンドにどんな能力があるのか、まだぼく自身もわかっていない。


ぼくの知っているスタンド使いは、他にもいる。

仗助くんより年上だけど仗助くんの甥にあたる、空条承太郎さんだ。

危機を察知して杜王町へやってきた彼は、まだこの町に残り、ぼくたちを見守ってくれていた。


ぼくはいま、仗助くん、億泰くんといっしょに登校している。

通学途中の公園には、奇妙な形をした大岩がある。

岩には目玉のようなでっぱりが二つあり、まるで顔みたいだ。

その前を通るとき、仗助くんは岩にむかって右手をあげ、不思議なあいさつをする。

「よっ、アンジェロ」

億泰くんがつられて同じことをする。

なんのことだかわからないけれど、ぼくも真似してやってしまう。

「よっ、アンジェロ」


杜王町は、平和を取りもどした。

少なくともいまは、そう見える。

ぼくたちの新たな日々がはじまろうとしていた。

この先、ぼくたちを待ち受けているのは敵なのか、それとも味方なのか——。

それはまだ、だれにもわからない。

（おわり）

この本は映画『ジョジョの奇妙な冒険　ダイヤモンドは砕けない　第一章』（二〇一七年八月公開／三池崇史監督／江良至脚本）をもとにノベライズしたものです。

また、映画『ジョジョの奇妙な冒険　ダイヤモンドは砕けない　第一章』は、ジャンプコミックス『ジョジョの奇妙な冒険』（荒木飛呂彦／集英社）を原作として映画化されました。

集英社みらい文庫

ジョジョの奇妙な冒険

ダイヤモンドは砕けない　第一章
映画ノベライズ　みらい文庫版

荒木飛呂彦　原作

はのまきみ　著

江良 至　脚本

ファンレターのあて先
〒101-8050　東京都千代田区一ツ橋2-5-10　集英社みらい文庫編集部
いただいたお便りは編集部から先生におわたしいたします。

2017年 7月24日　第1刷発行

発 行 者　北畠輝幸
発 行 所　株式会社 集英社
〒101-8050　東京都千代田区一ツ橋2-5-10
電話　編集部 03-3230-6246
読者係 03-3230-6080
販売部 03-3230-6393（書店専用）
http://miraibunko.jp
装　　丁　中島由佳理
執筆協力　てり
印　　刷　大日本印刷株式会社　凸版印刷株式会社
製　　本　大日本印刷株式会社

★この作品はフィクションです。実在の人物・団体・事件などにはいっさい関係ありません。
ISBN978-4-08-321381-6　C8293　N.D.C.913　186P　18cm

2017年8月4日(金)公開

映画

「ジョジョの奇妙な冒険　ダイヤモンドは砕けない 第一章」

原作コミックス!

荒木飛呂彦・著

『ジョジョの奇妙な冒険』とは?

「週刊少年ジャンプ」1987年1・2合併号から連載スタート。現在は「ウルトラジャンプ」で第8部「ジョジョリオン」が連載中の、荒木飛呂彦先生の代表作。今回映画化された『ジョジョの奇妙な冒険　ダイヤモンドは砕けない』はその中の第4部、荒木先生の出身地である、宮城県仙台市がモチーフのM県S市杜王町を舞台に、「スタンド」と呼ばれる特殊能力を持った主人公・東方仗助やその友人たちが、さまざまなスタンド使いたちとの出会いや戦いを通じて、町を守り成長していくストーリー。

ジャンプコミックス

「ジョジョの奇妙な冒険」
(第4部 ダイヤモンドは砕けない)
29巻～47巻収録

コミック文庫版

「ジョジョの奇妙な冒険 Part4
ダイヤモンドは砕けない」
18巻～29巻収録
(すべて集英社)

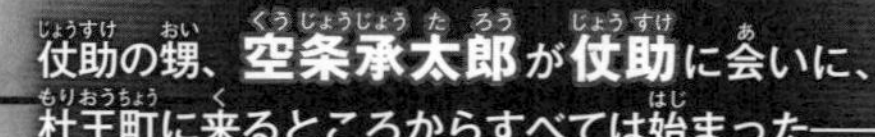

仗助の甥、**空条承太郎**が**仗助**に会いに、
杜王町に来るところからすべては始まった――。

人のケガや、壊れたものをなおす力を持つ仗助の
スタンド**〈クレイジー・ダイヤモンド〉**。

仗助をつけ狙う**アンジェロ**の**〈アクア・ネックレス〉**は水を通して体内に入り込み内部を破壊する恐怖のスタンド！

そして**虹村兄弟**のスタンド
〈ザ・ハンド〉と
〈バッド・カンパニー〉も
仗助に襲いかかるッ…!!

そしてさらなる**敵**が…!?

仗助と杜王町の運命はいかに――!! 気になる続きはコミックスで!!

集英社みらい文庫

第10弾
悪夢の花園編
第11弾
いじめの結末編
第12弾
家族のうらぎり編
第13弾
不幸を呼ぶ親友編
第14弾
死を招く都市伝説編
第15弾
呪われた初恋編
第16弾
満たされないココロ編
第17弾
笑顔の裏の本音編
第18弾
ナイモノねだりの報い編
第19弾
人気者の正体編
恐怖の案内人・黄泉が
闇の授業へ
ご招待します……

「みらい文庫」読者のみなさんへ

言葉を学ぶ、感性を磨く、創造力を育む……、読書は「人間力」を高めるために欠かせません。たった一枚のページをめくる向こう側に、未知の世界、ドキドキのみらいが無限に広がっている。これこそが「本」だけが持っているパワーです。

学校の朝の読書に、休み時間に、放課後に……。いつでも、どこでも、すぐに続きを読みたくなるような、魅力に溢れる本をたくさん揃えていきたい。読書がくれる、心がきらきらしたり胸がきゅんとする瞬間を体験してほしい、楽しんでほしい。みらいの日本、そして世界を担うみなさんが、やがて大人になった時、「読書の魅力を初めて知った本」「自分のおこづかいで初めて買った一冊」と思い出してくれるような作品を一所懸命、大切に創っていきたい。

そんないっぱいの想いを込めながら、作家の先生方と一緒に、私たちは素敵な本作りを続けていきます。「みらい文庫」は、無限の宇宙に浮かぶ星のように、夢をたたえ輝きながら、次々と新しく生まれ続けます。

本を持つ、その手の中に、ドキドキするみらい――。本の宇宙から、自分だけの健やかな空想力を育て、〝みらいの星〟をたくさん見つけてください。

そして、大切なこと、大切な人をきちんと守る、強くて、やさしい大人になってくれることを心から願っています。

2011年　春

集英社みらい文庫編集部